国学经典必读

中国政治思想史

吕思勉 著

文津出版社

图书在版编目（CIP）数据

中国政治思想史／吕思勉著. —— 北京：文津出版社，2017.7
（国学经典必读）
ISBN 978－7－80554－642－1

Ⅰ. ①中… Ⅱ. ①吕… Ⅲ. ①政治思想史—中国 Ⅳ. ①D092

中国版本图书馆CIP数据核字（2017）第085789号

·国学经典必读·

中国政治思想史

ZHONGGUO ZHENGZHI SIXIANG SHI

吕思勉 著

*

文 津 出 版 社 出 版
（北京北三环中路6号）
邮政编码：100120
网　　址：www．bph．com．cn
北京出版集团公司总发行
新 华 书 店 经 销
北京华联印刷有限公司印刷

*

880毫米×1230毫米　32开本　5.75印张　110千字
2017年7月第1版　2017年7月第1次印刷
ISBN 978－7－80554－642－1
定价：36.00元
质量监督电话：010－58572393

目　录

第一讲　中国政治思想史之分期 …………………（ 3 ）
第二讲　中国政治思想史上之两派 ………………（ 6 ）
第三讲　上古到战国的社会变迁 …………………（ 10 ）
第四讲　先秦的政治思想 …………………………（ 20 ）
第五讲　秦汉时代的社会 …………………………（ 52 ）
第六讲　汉代的政治思想 …………………………（ 61 ）
第七讲　魏晋至宋代以前的政治思想 ……………（ 78 ）
第八讲　宋明的政治思想 …………………………（ 88 ）
第九讲　清中叶前的政治思想 ……………………（112）
第十讲　近代的政治思想 …………………………（118）

附　录

春秋战国之学术思想 ………………………………（131）
鸦片战争前之国内情形 ……………………………（137）
中国政治与中国社会 ………………………………（141）
自述学习历史之经过 ………………………………（167）

《中国政治思想史》，民国二十四年在上海光华大学所讲，予女翼仁笔记之，而予为之订补。以阅时甚暂，故所讲甚略，特粗引其端而已。虽然，古之所贵乎朋友讲习者，曰讲明。学者于义有所不彻，教者罕譬而喻焉，曰讲贯。既习其数矣，而未能观其会通，故教者为引而信之，触类而长之也；故曰：予非多学而识之，予一以贯之者也。专门之士，穷幽凿险，或非圣人所能为。然覆杯水于堂坳，则芥为之舟，置杯焉则胶，致远恐泥，是以君子弗为也。况于翻检钞录，又不足以语于致曲者邪。抑闻之，古之为政者，必立谏鼓，置谤木，岂不知忠言之逆耳，谗谄面谀之快于心，虽睿智，思虑有所弗能用；虽聪明，耳目有所弗能及。是以用众以自辅，求贤以自鉴，而不蔽于其所亲昵也。若乃将直言极谏，与诽谤同科。举国计民生，惟党徒之殉，弗思耳矣，亦已焉哉。云南起义前夕自记。

第一讲　中国政治思想史之分期※

中国的政治思想史，是颇为难讲的，因为：

（一）政治思想和政治制度不同。政治制度，是有事实可考的，历代都有记载。记载自然有缺漏，但是一件事实，缺落其一部分，或者中间脱去一节，是很容易看得出来的，自然有人去研究，用考据手段去补足它。政治思想则不然，它是存于人的心里的。有许多政治思想，怕始终没有发表过；即或发表过的，亦不免于佚亡；凡是高深的学说，往往与其时的社会不相宜，此等学说不容易发表，即使发表了，亦因其不受大众的注意，或且为其所摧残而易至于灭亡。此等便都无可稽考。

（二）中国是一个政治发达的国家；而且几千年来，研究学术的人，特别重视政治；关于政治的议论，自然有许多，但都不是什么根本上的问题。为什么呢？因为一件事情，我们倘然看作问题而加以研究，必先对于这件事情发生了疑问；而疑问是生于比较的。我们都知道：希腊的政治思想，发达得很早。在亚里斯多德时，已经有很明晰的

※ 标题系编者按每讲的内容所添加。

学说了。这就是由于希腊的地小而分裂，以区区之地，分成许多国，各国所行的政体，既然不同，而又时有变迁。留心政治问题的人，自然觉得政治制度的良否，和政治的良否大有关系，而要加以研究了。中国则不然。中国是个大陆之国，地势是平坦而利于统一的。所以其支离破碎，不如希腊之甚。古代的原民族——即今日所谓汉族——分封之国虽多，所行的政体，大概是一样。其余诸民族自然有两样的，但因其文明程度的低下，中原人不大看得起他，因而不屑加以比较研究。孔子说夷狄之有君，不如诸夏之无也，见《论语·八佾》。最可以代表这种思想、这种趋势。直到后世，还是如此。没有比较，哪里会发生疑问？对于政治，如何会有根本上的研究呢？因此，中国关于政治的史料虽多，大都系对于实际政务的意见——如法律当如何改订、货币当如何厘定之类——此等学说，若一一列举，则将不胜其烦，而其人对于政治思想依旧没有明了。研究中国的政治思想，非将一个思想家的学说，加以综合，因其实际的议论而看出其政治上的根本主张来不可。这是谈何容易的事情？

凡思想总是离不开环境的，所以要讲政治思想，必先明白其时的政治制度和政治事实，而政治制度和事实的变迁，就自然可以影响到政治思想而划分其时期。我们根据于这种眼光，把中国的政治思想分为四个时期：

第一期　自上古至战国　这是中国的社会组织发生一

个很大的变迁的时期,自政治上言之,则为由部落至封建,_{编者按:指实行分封制的政体。}由封建至统一。

第二期　自秦至唐　秦汉是中国初由封建而入于统一的时期。封建之世不适宜的制度,在此时期中,逐渐凋谢;统一之世所需要的制度,在此时期中,逐渐发生;逐渐发生的制度,自然又有不适宜的,不免酿成病态,政治家所研究的,就集中于此等问题。

第三期　自宋至清中叶　第二期中所发生的病象,到此渐觉深刻了,大家的注意,自然更切,而其研究也渐深,往往能触及根本问题。而这时期之中,民族问题也特别严重。实际上,民族问题在秦汉时代已经发生,当"五胡乱华"之时,已经很严重了。但是人们的思想,往往较事实要落后些,当彼其时还不曾感觉它十分严重,到宋朝以后,却不容我们不感觉了。要御侮先要自己整饬,因此,因为对外问题的严重,也引起了内部改革的问题。

第四期　自清中叶至现代　这是中国和欧洲人接触而一切思想都大起变化的时期。政治思想当然不是例外。

第二讲 中国政治思想史上之两派

要讲很复杂的政治思想,我们必须先有一个把握。这个把握是什么?就是把几千年来的政治思想先综括之而作一鸟瞰,得一个大概的观念。然后,持之以研究烦杂的材料——这是为入手之初方便起见,自然不是研究之后不许修正的。本此眼光而立论,我敢说中国的政治思想可以

(1) 进取

(2) 保守

两派概括之。为什么会有这两派呢?为什么不会有第三派?又为什么不会只剩了一派?

这是因为社会的本身同时有两种需要,而这两派各代表其一种。所以,这两派是都有其确实的根据,都有其正当而充足的理由的。

这话怎样说呢?说到这句话,我们先要问一问:国家和社会到底是合一的还是分离的,就是国家和社会到底是一件东西,还是两件东西?

这个问题是很容易回答的:

(1) 有许多人民还没有能够组织国家,然而我们不能

说他没有社会。

（2）有许多国家已经灭亡了，然而其社会依然存在。

（3）所谓社会，其界限是和国家不合的，一个国家之中可以包含许多社会，而一个社会也可以跨据许多国家。

据此社会和国家确系两物。未有国家之前先有社会，社会是不能一天没有的。人永远离不开社会的，出乎社会之外而能生存的人，我们简直不能想象，而国家则是社会发展到某程度应于需要而生的。我们现在固然很需要国家，我们非极力保存我们的国家、扩张我们的国家不可。然而，国家并不是我们终极的目的。照我们现在的希求而逐渐向上，国家终究是要消灭的。这不是我一人的私言，古今中外的哲人怀抱此等思想的，不知凡几。不过这件事情是很艰难，其路途是很遥远，我们现在不但没有能达到目的，甚且连达到目的最好的途径都还没有发见罢了。然而，事在人为。民之所欲，天必从之，并非真有什么天神监观下民哀矜之而从其所欲，不过全人类真正的欲望，其实是相同的。虽然因环境的不良而暂时隐蔽着，及其环境一变，真正的欲望马上就要发露出来。而且环境的改易，也并非天然的变迁，实际上就是人因其为真正欲望的障碍，而在无形中大家各不相知地把其改造之。故环境改造得一分，人的真正欲望实现的可能程度便高一分，而去其实现之境也就接近一分。如此努力向前，我敢相信路途虽然遥远，终有达到目的的一日。然则国家在现在虽然很需要，到将来终有消灭的一天的。所谓政治，就是国家所做的事情，国家既是社会发展到某程度应运而生的东西，政治自然也是社会发展到某程度应运而生的现象。

然则在社会发展的历程中，为什么要生出国家这一种东西，产生出政治这一种现象来呢？须知人类所组织的社会，有两心交战，正和我们一个人的心有善恶两念交战一样。这两条心是什么？便是

（一）公心

（二）私心

公心，是己欲立而立人，己欲达而达人。一个人好，就希望大家好，甚而至于为著人家不恤牺牲自己。因此，就发生出许多好的制度和好的事实——代表公意的制度和事实来。私心，是只顾自己不顾别人的，不但不肯损己以利人，还要损人以利己。因此，便生出许多坏的制度和坏的事实来。社会进化到某程度，私心发生了，就有抱著公心的人出来和他抵抗。这所谓抱著私心和抱著公心，并不是指具体的人。同是一个人，对于这件事怀抱著公心，对于那件事可以怀抱著私心。在这时期这地方怀抱著私心，换一个时期一个地方又可以怀抱著公心。所以，与其说是两个人，不如说是两个阶级。坏的阶级把好的阶级完全消灭，这件事是不能想象的，因为如此人类就要灭绝了，而且这不是人类的本性，当然也不会有这一回事。好的阶级完全把坏的阶级消灭，还非现在所能。在现在，事实上是

如此的一个政府，一方面代表全社会的公意，一方面也代表其阶级的私意，这是古今中外凡有政府都是如此的，不过两者的成分或多或少罢了。

因为社会上先有了所谓恶意，然后有政治出来矫正它。所以矛盾不消灭，政治也不消灭。而政治实际上没有单代表公心的，总兼代表著私心，它所以跃居治者之地位，就有一部分为是要达其私意之故。既已居于治者的地位，自然更可将这种私心实现。所以政治的本身也是能造成矛盾的，政治不消灭，矛盾也不消灭。

人类的公心是无时而或绝的，总想把这社会弄得很好。因此，在任何时代任何地方，总要想上进。但是，因为私心未能绝灭之故，任何事情都不容易办好，而且不办事则已，一办事往往因此而又造出一种坏来。人的性质是各有所偏的，有人富于热烈的感情，对于现状深恶痛绝，这种人自然容易发见现状之坏。研究改革之方，而于改革之难达目的，及其因此而反生弊端，却较少顾虑。如此便成为进取派，而其性质和它相反的，就自然成为保守派。人的性质是有此两种。所以古往今来的政治思想都可以这两派括之，至于哪一派的势力较强，自然和其时代也有关系。在这一种观念之下，去了解中国的政治思想，我以为是较容易的。

以上所说的话是很抽象的，以下用具体的话来证明它。

第三讲　上古到战国的社会变迁

上古到战国，划分为政治思想史上的一个时期，前文已经说过了。这一个时期之内，政治思想的背景，是怎样呢？

这一个时代，在政治上，可以说是从部落进于封建，从封建进于统一的时代。

人类最初的组织，大概是依据血统的。但是到后来，就渐渐地从血统的联结而进于地域的联结了，这就成为部落。

部落的生活，大概是渔猎、游牧、农耕三种。从前的人，都说人类进化的程序，是从渔猎到游牧、游牧到农耕的，其实也不尽然。依现在社会学家所考究：大抵山林川泽之地，多从渔猎径进于农耕；平原旷莽之区，则从渔猎进化到畜牧。至于进化而成为国家，则游牧、农耕两种人民，关系最大。古代各部落间，彼此无甚关系，因之不能互相了解，相遇之时，就不免于争斗。渔猎民族，需要广大的土地，才能养活少数的人口，所以其人数不能甚多；而文明程度也较低；与游牧民族战争时，多不免于败北。

农耕民族，文明程度是最高的；其人口也较多。和游牧民族战争，本来可得胜利。但因其性质爱好和平，而又安土重迁，不能兴师远征；所以游牧民族来侵犯时，虽可把它击退，总不能扫穴犁庭。而游牧民族，败则易于遁逃；及其强盛之时，又可以集合起来去侵略他人，农耕民族，总不免有时为其所乘。所以以斗争论，游牧民族，对于渔猎民族和农耕民族，都是很有利的。但是渔猎民族，文明程度本低，加以败北之后，可以遁迹山林，游牧民族，倒也无如之何。农耕民族，却和土地的关系密切了，宁受压迫而不愿遁逃。游牧民族战胜时，便可以强制他服从，勒令他纳贡。进一步，还可以侵入其部落之内，而与之同居；强制其为自己服役。如此，一个部落之内，有征服者和被征服者两个阶级对立；征服者治人而食于人，被征服者治于人而食人；就成为现代国家的起源了。

以上所述，是现代社会学家的成说，从我国古史上研究，似乎也是相合的。古代相传的帝王，事迹较有可考的，是巢、燧、羲、农。有巢氏教民构木为巢，燧人氏教民取火熟食，其为渔猎时代的酋长，显而易见。伏羲氏，因为相传有"驯伏牺牲"之说，大家就都认他为游牧时代的酋长。其实这全是望文生义的。"伏羲"二字，乃"下伏而化之"之意，见于《尚书大传》。其事迹，则《易经》的《系辞传》，称其作网罟以佃以渔。《尸子》亦说：燧人氏之世，天下多水，故教民以渔；伏羲氏之世，天下多兽，故教民以猎。其为渔猎时代的酋长，也显而易见。伏羲氏之后是神农氏，则名义上，事迹上，都昭然无疑，是农耕时代的酋长了。其根据之地：有巢氏治石楼山，在琅琊南；燧人氏出旸谷，分九河；伏羲氏都陈；神农氏都鲁；都在今河南山东黄河以南。黄帝邑于涿鹿之阿，则在今河北涿县。大约古代山东半岛之地，有一个从渔猎进化到农耕的民族，便是巢燧羲农；而黄帝则为河北游牧之族。阪泉涿鹿之战，便是这个农耕民族为游牧民族所征服的事迹。

　　社会的内部，其初是荡荡平平，毫无阶级的。但是经过相当的时间，便要生出男妇和老幼的区别。前者是基于两性的分工；后者则由于知识技艺的传授，以及遇事的谋略，临事的指挥；自然经验丰富的人，总处于重要的地位。所以在浅演的社会里，虽然还行著女系，而掌握实权的，也以男子为多。至于年老的人，则其地位尤为优越。社会愈进步，分工的作用愈显著，处于特别地位的人，自然愈形重要。如此，专门指挥统率的人，权力逐渐增大，就成为君的起源。其偏于保存智识的人，则成为僧侣阶级。凡此等，都是一个团体之内，特殊阶级之所以形成。然而总不如用兵力征服的关系来得大。

　　这一个部落，征服那一个部落，其初是用勒令进贡的方法，去剥削他的。至于被征服部落内部的情形，则丝毫不管。中国从黄族征服了炎族以后，直到夏禹之世，对于被征服者，还有这种情形。所以夏后氏对于农民所收的租税称为贡,和这一国献给那一国的礼物,名称相同。其方法,则系按几年收获的平均额,向他征取。至于丰年可以多取而不取,以致谷物不免浪费;凶年不能足额而强要足额,以致人民受累;他是丝毫不管的。可见这时候,征服之族和被征服之族,还没有融合。到殷周时代,情形就不同了。殷代收税之法名为助,是强制人民代耕公田的。周代收税的法子名为彻,是田亩不分公私,而国家按其所入,取其十分之一。可见这时候,征服者和被征服者,已合并成一个社会了。

古代农耕的社会,其内部,本来是有很良好的规则的。凡榨取,必须要保存被榨取的对象。征服之族,只要榨取就够了,何苦而去干涉被榨取的社会内部的事情?所以农耕社会,虽然被游牧民族征服,而其内部良好的规则,还得保存。进一步,征服民族对于被征服的民族,关系渐渐的深了;管理干涉,也渐渐的严密了,然而也还是本于这种规则以行事;甚且还能代他修整,助其保持。这时代的君主,就是后世所称为圣主贤君的;而这时代,就是孔子所说的小康时代。至于那已经过去的毫无阶级的时代,那自然就是所谓大同时代了。当此时代,征服者和被征服者阶级的对立是:(一)贵族,(二)自由民,(三)奴隶三者。贵族是征服阶级里握有政权的人,如契丹之有耶律萧氏。自由民是征服阶级里的平民,如契丹之有部族,被征服的民族,那就是奴隶了。

其初，征服阶级和被征服阶级的对立，是很为尖锐的。所以贵族和自由民之间，其相去近；自由民和奴隶之间，其相去远。但是到后来，压迫的关系，渐成为过去；平和的关系，日渐增长；而掌握政权的人，其权力却日渐发达。于是贵族和自由民，相去渐远；自由民和奴隶，相去转日近，驯至因彼此通婚，而混合为一。我国古书上百姓和民、民和氓，有时是有区别的，有时却又没有，就是这个关系。

以上所说，是从部落时代，进化到封建时代的大略。但是进化到封建时代，还是不得安稳的。因为此等封建之国，其上层阶级，本来是一个喜欢侵略的民族；在侵略的民族中，战争就是生利的手段。当其初征服别一个民族时，生活上自然暂时得到满足。但是经过相当的年代，寄生之族的人口，渐渐的增加了；而其生活程度，也渐渐增高；就又要感觉到不足。感觉到不足，那除向外侵略，夺他人的土地人民为己有，是没有别法的。在战国以前，列国所以要互相吞并；一国中的大夫，也要互相吞并；这就是其中很重要的原因。如此，一步步的向前进行，晋国的六卿，并成三家；春秋时的百四十国，变为战国时的七国；世运就渐进于统一了。

政治一方面，情形如此；社会一方面，也有很重要的变迁。征服之族，初征服被征服之族时，是把他们的人，掳来作为奴隶使用。此时的奴隶，是以多数的人，替少数的贵族耕作广大的土地的。生命尚非己有，何况耕作之所得？在此等情形之下，奴隶的耕作未必出力；而此时耕作的方法，也还幼稚；自然可以多数的人，耕作广大的土地。到后来，耕作的方法渐渐进步了；压迫的关系，也渐渐变化；即发见用武力强迫人家劳动，不如在自利的条件下，奖励人家劳动之为得计。并发见以多数人粗耕广大的土地，不如任一家一户精耕较小的土地之为有利。于是广大的田庄，变成分立的小家户。这是说征服之族，把被征服之族掳掠得来，强制他为自己劳动的社会的变化。其从纳贡的关系，进化到代为管理，始终没有破坏被征服之族内部的规则的，自更不必说了。但是无论其为征服之族将被征服之族掳掠来而强制其为自己劳动；或者由纳贡的关系而进化到收税；伴随着生产方法的进步，广大的田庄，总有变为小农户的趋势。我国古代，土地虽非人民所有，然而必要有一个五十亩、七十亩、百亩的分配办法，而不容笼笼统统的，把若干公有的土地，责令若干人去共同耕种，即由于此。于此，已伏著一个土地私有的根源。又因人口的增加，土地分配，渐感不足；而分配又未必能平均；于是渐有无田可耕的人；又或因所耕的田太劣，而愿意换种好田；于是地代就渐渐发生。有权支配的人，就将好田与坏田收获的差额，悉数取为己有。于是土地的私有，渐渐的成立了。

又因生产方法的进步，工业渐渐的脱离农家的副业而独立。于是交换愈益频繁，而专司交换的关键的商人也出现了。商人对于农工,在交换上,是处于有利的地位的。因为要以其所有,易其所无的人,都有非易不可之势;而在交易的两方,都无从直接,交换都要通过商人之手才行。于是商人乘卖主找不到买主时,可以用很廉的价格买进;到买主找不到卖主时,又可以用很贵的价格卖出。一转手之间,生产者和消费者,都大受其剥削。所以在近代工业资本发展以前,商业资本在社会上,始终是很活跃的。这是中国几千年来一贯的趋势,更无论古代经济初进步的时候了。因商业资本发达,则农人受其操纵而愈益穷困。于是高利贷出现。在这两种剥削之下,再加之暴政的榨取,农民乃无可控诉,而至于流亡。其投靠到富豪的,或则售其田产,而变为佃农;或竟自鬻其身,而成为奴隶。除非在社会上有所需求,都可以靠暴力胁夺,如其不然,有所求于人,就非得其允许不可,或者守著社会上公认的交换规则,进行交换,则相需甚殷的一方面,总是吃亏,而其势较缓的一方面,总是处于有利的地位的。所以在春秋战国时,商人的势力大盛。便国家也不能不谨守和他们订立的契约;指郑子产不肯强市商人货物之事。见《左氏》昭公十六年。甚而至于与他们分庭抗礼。子贡之事,见《史记·货殖列传》。一方面,都市的工商业家,乡下的大地主,新阶级兴起了;一方面,则因战争的剧烈,亡国败家者相随属,而封建时代的贵族,日益沦落;于是贵贱的阶级渐平,贫富的阶级以起。然而当这时代,国家的政治权力,不是缩小了,而反是扩大了。因为政治是所以调和矛盾,也可说是优胜的一个阶级用来压迫劣败的阶级的。社会的矛盾,日益加甚,自然政治的权力,日益加大。但是这时候,代表政治上的权力的,不是从来拥有采地的封建主,而是国王所信任的官僚。

官僚阶级是怎样兴起的呢?那便是:(一)新兴的工商家,和地主阶级中较有知识的分子;(二)没落的旧贵族尤多,他们的地位身份虽然丧失,其政治上的才能和知识,是不会随而丧失的。现代的县名,还有一部分沿自秦汉时代,秦汉的县名很容易看得出,有一部分就是古代的国名;可见其本为一独立国。独立国夷而为县,并不是从秦汉时代开始的;春秋战国时,早已有许多小国,变成大国中的一县了。国变而为县,便是固有君主的撤废,中央政府派遣地方官吏的成功。质而言之,就是后代的改土归流。因封建制度崩溃,而官僚阶级增多;亦因官僚阶级增多,而大国的君主,权力愈扩大,封建政体,因之愈趋于崩溃。还有加重大国的权力的,便是军队的加多与加精。在古代,大约是征服之族服兵役,被征服之族则不然的。这并不是被征服之族,都不会当兵,不过不用他做正式的军队罢了。我国古代,天子畿方千里,公侯皆方百里,幅员的大小,为百与一之比,而兵额却不过两三倍,就是为此。《礼记·文王世子》是古代的庶子官管理王族之法,而其中说战则守于公祢;鄢陵之战,晋国人说"楚之良,在其中军王族而已"；可见古代的战斗，不但全用征服之族，组织军队，并且还是以王族为中心的。至于被征服之族，则不过叫他保守本地方，并不用他做正式的军队，所以说寓兵于农。寓兵于农，谓以农器为兵器，非谓以农夫为军人，见《六韬·农器》篇。到春秋时，这种情形就大变了。变迁的途径有二：一是蓄养勇士，求其战斗力之加强；一是训练民众，求其兵数之加多。前者如齐庄公是其代表；后者如管仲作内政寄军令，是其代表。到战国时代，则这两种趋势，同时并进。如魏国的兵制，挑选人民强壮的，复其身，利其田宅；见《荀子·议兵》篇。又如秦国商鞅之法，把全国的人民都训练成战士。此等多而且精的军队，自然非小国所能抵敌了。

政治上的互相争斗，可以说是使人群趋于分争角立的，而自经济上言之，则总以互相联合为有利。亦且人类的本性，原是互相亲爱的；政治上的分争，只可说是社会的病态。所以在封建时代，政治上的情形，虽然四分五裂，而社会的同化作用，还是不断进行的。《中庸》说："今天下，车同轨，书同文，行同伦。"可见当春秋战国时，社会的物质和精神，都已大略一致；因为只从古相传下来，凭恃武力的阶级所把持，以致统一不能实现罢了。此等政治上争斗的性质，固因有国有家者，各欲保守其固有的地位，而至于分争；亦因其贪求无已，不夺不餍，而渐趋于统一。并兼之势日烈，则统一之力加强。政治的社会的两力并行，而统一遂终于实现。

统一，自然是有利的事。人类不论从哪一方面讲，总是以统一为有利的。但是前此的分争，固然不好，后来虽勉强统一，而其联结的办法，还不是最好的。因而处于这一个大国家社会之中的人，不能个个都得到利益；而且有一部分是被牺牲的。而国家社会的自身，亦因此而不得进化。这种趋势，是从皇古时代，因社会内部的分化和其相互间的争斗而就开始进行的；到战国的末年，已经过很长的时间了。在这长时期中，从民族和国家的全体上看，是由分趋合，走上了进化的大路的。从社会组织上看，则因前此良好的制度逐渐废坠；人和人相互之间的善意逐渐消失；而至于酿成病态。于是有所谓政治者，起而对治之。政治是药，他是因病而起的，亦是想治好病的。人谁不想好？谁肯安于坏？于是有政治上种种的主张而形成政治思想。

第四讲　先秦的政治思想

从上古到战国，这一期中的政治背景，业经明白了，就可进而讲述其政治思想。

这一期中的政治思想，最重要的，自然就是所谓先秦诸子。这都是东周时代的思想。自此以前，自然不是没有政治思想的，然无甚重要关系，所以略而不述。实际上，先秦诸子的思想，都是很受前此思想的影响而发展起来的；研究先秦诸子，西周以前的思想，也可以见其大概了。

怎样说先秦诸子的思想，都是很受前此思想的影响呢？中国人向来是崇古的。对于古人的学说，崇拜总超过批评。这种风气，近来是逐渐改变了，然其对于古人的批评，亦未必都得其当。先秦诸子，离现在时代较远，不大容易了解，因而也不大容易批评。所以不论从前和现在的批评，都很少搔著痒处。对于先秦诸子，大家是比较的抱著好感的。不论从前和现在，对于他们的批评，都是称颂的居多；即有批评其短的，也都是隔靴搔痒，并没有能发现其短处，自然更说不到发见其致误之由。然则先秦诸子，有没有错误之处呢？自然是有的，其错误而且还颇大。假使先秦诸子而真见用于世,见用社会,而真本其所学以行事,具结果,怕会弄得很糟的。我们现在,且先说一句总批评,那便是:先秦诸子的思想,都是落伍的。

这话怎样说呢?要说明这句话,先得知道先秦诸子所代表的,是哪一个时代的思想。我以为:

农家　代表神农时代的思想。

道家　代表黄帝时代的思想。

墨家　代表夏禹时代的思想。

儒家、阴阳家(?)　代表西周时代的思想。

法家、兵家　代表东周时代的思想。

这所谓代表某一时代的思想,只是说其思想是以那一个时代为根据而有所发展,并不是说他完全是某一个时代的思想,不可误会。

人的思想,是多少总有些落伍的。今天过去了,只会有明天,今年过去了,只会有明年。明天明年的事情,是无论如何不会和今天今年相同的,何况昨天和去年?然而人是只知道昨天和去年的。对付明天明年的事情,总是本于昨天和去年以前的法子。各人所用的法子,其迟早亦许相去很远,然而总只是程度问题。所以其为落伍,亦只是程度问题。

人的思想,总是在一种文化中涵养出来的。今试找一个乡气十足的村馆先生,再找一个洋气十足的留学生,把一个问题,请他们解决;他们解决的方法,一定大相悬殊;

这并不是这两个人的本性相去如此之远，乃由其所接受的文化不同；所谓性相近，习相远。知此，然后以论先秦诸子。

（一）农家

先秦诸子，所代表的，不是一时的思想，这是很容易见得的。因为最难作伪的是文学。先秦诸子中，都包容著两种时代不同的文学——未有散文前的韵文，和时代较后的散文。我们现在不讲考据，这个问题，且置诸不论。我们现在，只从思想上批判其所代表的文化时代的远近。如此，农家之学，我以为其所代表的文化的时代，是最早的。

农家之学，现在仅有许行一人尚有遗说，从《孟子》中可以窥豹一斑。许行有两种主张，是：

（一）政府毫无威权。所谓贤者与民并耕而食，饔飧而治，就是说人君也要自己种田、自己做饭，像现在乡下的村长一样。

（二）物价论量不论质。不论什么东西，只要他的量是一样，其价格就是一样。

这种思想，显然是以古代的农业共产社会做根据的。我们如诘问他：既然可以并耕而食，饔飧而治，何必还要有君？既然交换的价格，和成本全不相干，则已变为一种赠与，何必还要交换？他可以说：我所谓政府，是只有办事的性质,而没有威压的性质的。至于交换,我本来要消灭他,强迫交换的价格,论量不论质,只是一种过渡的方法。况且这也是禁奢的一种手段。所以刚才的话,是不能驳许行的。我们要问许行的,是用何种手段,达到他这一个办法?无政府主义,是没有一个人不可承认其为最高的理想的;亦没有什么人敢断定其终不能达到。不过在现在,决没有人主张,即以无政府的办法为办法的。因为这是决不能行的事。从我们的现在,达到无政府的地位,不知要经过多少次平和或激烈的革命呢。许行的说法,至少得认为无政府主义的初期,许行却把那一种办法做桥梁,渡到这一个彼岸呢。假使许行是有办法的,该教滕文公从桥上走,或者造起桥来,不该教他一跳就跳到彼岸。如其以为一跳就可以跳过去的,那其思想,比之乌托邦更为乌托了。许行究竟是有办法没有办法的呢?许行如其有办法,其信徒陈相,应该以其办法反对孟子的办法,不该以其理想的境界反对孟子的办法,所以许行的学说,虽然传下来的很不完全,我们可以推定其是无办法的。然则许行的思想是一种最落伍的思想。

(二) 道家

道家当以老子为代表。古人每将黄老并称。古书中引黄帝的话,也很和老子相像。《列子·天瑞》篇引《黄帝书》两条,黄帝之言一条,《力命》篇亦引《黄帝书》一条。《天瑞》篇所引,有一条与《老子》同,余亦极相类。这自然不是黄帝亲口说的话,然而总可以认为黄帝这个社会里、民族里相传的训条。

老子的思想,导源于远古的黄帝这一个社会,是可能的。因为老子的道理是:

(一)主张柔弱。柔弱是一种斗争的手段。所谓欲取姑与。浅演的社会,是只知道以争斗为争斗,不知道以退让为争斗的。所以因刚强躁进而失败的人很多。如纣,如齐顷公、庄公、晋厉公、楚灵王、吴夫差、宋王偃等都是。其实秦皇、汉武,也还是这一流人。这种人到后世就绝迹了。这可见人的性质,都是社会养成的。黄帝的社会,是一个游牧的社会,君民上下,都喜欢争斗,自然可以发生这一类守柔的学说。儒家所以要教民以礼让,礼之不足,还要以乐和其内心,也是为此。

(二)主张无为。"为"字近人都当"作为"解,这是大错了的。为,化也。无为就是无化。无为而无不为,就是无化而无不化。就是主张任人民自化,而不要想去变化他。"化而欲作,吾将镇之以无名之朴",就是说人民要变化,我们还要制止他,使他不要变化。怎样叫变化呢?《老子》一书,给后来的人讲得太深了,怕反而失其真意。《老子》只是一部古代的书,试看:(A)其书的大部分,都是三四言韵语,确是未有散文以前的韵文;(B)其所用的名词，也很特别，如书中没有男女字，只有牝牡字——这尤可表见其为游牧民族。所以我说《老子》的大部分，该是黄帝这一个民族里相传的古训，而老子把他写出来的；并不是老子自著的书。我们若承认此说，"无为"两个字，就容易解释了。当《老子》这一部书著作的时候——不是周朝的老聃把他写出来的时候——作者所处的社会，不过和由余所居的西戎、中行说所居的匈奴差不多。这种社会里的政治家的所谓为：坏的，是自己要奢侈，而引进许多和其社会的生活程度不相称的事来；刻剥人民去事奉他，并且引起人民的贪欲。好的，是自以其社会为野蛮，而仰慕文明社会的文明，领导著百姓去追随他。《史记·商君列传》：商君对赵良自夸说："始秦戎翟之教，父子无别，同室而居，今我更制其教，而为其男女之别，大筑冀阙，营如鲁、卫矣。"就有这种意思。文明的输入，自然是有利的。然而文明社会的文明，是伴随着社会组织的病态而进步的；我们跟著他跑，文明固然进步了，社会的病态，也随而深刻了，这也可以说是得不偿失的事。《老子》一书中所主张的"无为"，不过是由余夸张戎人，中行说劝匈奴单于勿变俗、好汉物的思想。见《史记·秦本纪》《匈奴列传》。《老子》的所以为人附会，（一）以其文义之古，难于了解，而易于曲解；（二）因其和一部分的宗教思想相杂。《老子》的宗教思想，也是游牧民族的宗教思想。因为（a）其守柔的思想，是源于自然力的循环；而自然力的循环，是从观察昼夜四时等的更迭得来的；

（b）无为的思想，是本于自然现象的莫之为而为；所谓"天何言哉？四时行焉，百物生焉"。两者都是从天文上得来的；而天文知识的发达，正在游牧时代。

老子这种思想，可以说是有相当的价值的。但是守柔在不论什么时代，都可以算竞争上的一种好手段。至于无为，则社会的变化，不易遏止。即使治者阶级，尚都能实行老子之说，亦不过自己不去领导人民变化。而社会要变化，还是遏止不住的。我虽然辅万物的自然而不敢为，而万物化而欲作，恐终不是无名之朴，可以镇压得住。在后世，尽有清心寡欲的君主，然而对于社会，还是丝毫无补，就是这个理由。这一点，讲到将来，还可更形明白，现在姑止于是。只要知道就无为这一点上说，老子的思想，也是落伍的就够了。

或问在古代，民族的竞争，极为剧烈，老子如何专教人守雌？固然守雌是有利于竞争的，然而守如处女，正是为出如脱兔之计，而观老子的意思，似乎始终是反对用兵的，既终没有一试之时，蓄力又将作何用？在古代竞争剧烈的世界，如何会有这一种学说呢？我说，中国古代民族的竞争，并不十分剧烈。民族问题的严重，倒是从秦汉以后才开始的。大约古代民族的斗争，只有姬、姜二姓曾有过一次剧烈的战事——河南农耕民族，与河北游牧民族之战——其结果，黄帝之族是胜利了。经过颇短的时间，就和炎帝之族同化。其余诸民族，文化程度，大抵比炎黄二族为低,即战斗力亦非其敌。所以当时,在神州大陆上,我们这一个民族——炎黄混合的民族——是侵略者。其余的民族——当时所谓夷蛮戎狄——是被侵略者。我们这时候所怕的,是贪求无厌,黩武不已,以致盛极而衰,对于异族的斗争,处于不利的地位;而同族间也要因此而引起分裂。至于怕异族侵略,在古代怕是没有这事的。如其有之,道家和儒家等,就不会一味主张慈俭德化;而法家和兵家等,也要以异族为斗争的对象,而不肯专以同族的国家为目标了。我国民族问题的严重,是周秦之际,和蒙古高原的游牧民族接触,然后发生的。在古代骑寇很少,居于山林的异族,所有的只是步兵,而我族则用车兵为主力。毁车崇卒和胡服骑射,都是我族侵略的进步,不是防御行为。中山并非射骑之国,赵武灵王是学了骑寇的长技,再借用骑寇的兵,去侵略中山。

道家中还有一派是庄子。庄子的思想,是和杨朱很为接近的。现在《列子》中的《杨朱》篇,固然是伪物,然而不能说他的内容全无根据。因为其思想,和《庄子》的《盗跖》篇是很接近的。《盗跖》篇不能认为伪作。这一派思想,对于个人自处的问题,可以"委心任运"四个字包括之。这全是社会病态已深,生于其间的人,觉得他没法可以控制时的表现。至其对于政治上的见解,则杨子拔一毛利天下而不为之说,足以尽之。拔一毛利天下而不为,是怎样一个说法呢?此其理颇为微妙。我们现在且不惮繁

复,略述如下:

《吕氏春秋·不二》篇:

  楚王问为国于詹子。詹子对曰:何闻为身,不闻为国。詹子岂以国可无为哉?以为为国之本,在于为身。身为而家为,家为而国为,国为而天下为,故曰:以身为家,以家为国,以国为天下。

身当如何为法呢?
《淮南子·精神训》:

  知其无所用,贪者能辞之,不知其无所用,廉者不能让也。夫人主之所以残亡其国家,损弃其社稷,身死于人手,为天下笑,未尝非为非欲也。夫仇由贪大钟之赂而亡其国,虞君利垂棘之璧而禽其身,献公艳骊姬之美而乱四世,桓公甘易牙之和而不以时葬,胡王淫女乐之娱而亡土地。使此五君者,适情辞余,以己为度,不随物而动,岂有此大患哉?

又《诠言训》:

  原天命,治心术,理好憎,适情性;则治道通矣。原天命则不惑祸福。治心术则不妄喜怒。理好憎则不贪无用。适情性则欲不过节。不惑祸福，则动静循理。不妄喜怒，则赏罚不阿。不贪无用，则不以欲用害性。欲不过节，则养性知足。凡此四者，弗求于外，弗假于人，反己而得矣。

野蛮时代之所虑，就是在上者的侈欲无度，动作不循理。其过于要好的，则又不免为无益的干涉。所以杨朱一派，要使人君自治其心，绝去感情，洞明事理，然后不做一件无益而有损的事。所以说："以若之治外，其法可暂行于一国，而未合于人心；以我之治内，可推之于天下。"话固然说得很精了。然而又说："善治外者，物未必治。善治内者，物未必乱。"未必乱是物自己不乱，并不是我把他治好的，设使物而要乱，我即善治内，恐亦将无如之何。固然，人人不损一毫，人人不利天下，天下治矣。然今天下纷纷，大多数都是利天下的人，因而又激起少数人，要想摩顶放踵，以利天下。譬如集会之时，秩序大乱，人人乌合抢攘，我但闭目静坐，何法使之各返其位，各安其位呢？如其提出这一个问题来，杨朱就将无以为答。然则杨朱的治天下，等于无术。他的毛病，和老子的无为主义是一样的。他们还是对于较早的时代的目光。此时的社会，人民程度很低，还没有"为"的资格。所虑的，是在上的人，领导著他去"为"。老子庄周的话，到这种社会里去说，是比较有意思的。到春秋战国时，则其社会的"为"，已经很久了；不是化而欲作，而是已化而作了；还对他说无为，何益？

（三）墨家

墨家之道原于禹，这句话是不错的。一者《墨子》书中屡次提起夏禹。二者墨子所定的法度，都是原出于夏的。详见孙星衍《墨子后序》。

儒家说夏尚忠，又说夏之政忠。忠便是以忠实之心对人；不肯损人以利己，还要损己以利人。夏朝时代较早，大约风气还很诚朴。而且其时遭遇水患，自然可以激起上下一体，不分人我的精神；和后来此疆彼界的情形，大不相同。由此道而推之，则为兼爱。兼爱是墨学的根本。至其具体的办法，对内则为贵俭，对外则为非攻。

要明白贵俭的意思，首须知道古代的社会和后世不同。后世习惯于私有财产久了，人家没有而我有，公家穷困而私人奢侈，是丝毫不以为奇的。春秋战国时代则不然。其时的社会，去公产之世未远。困穷之日，须谋节省；要节省，须合上下而通筹；这种道理，还是人人懂得的。即其制度，也还有存在的。譬如《礼记·曲礼》说："岁凶，年谷不登，君膳不祭肺，马不食谷，驰道不除，祭祀不县，大夫不食粱，士饮酒不乐。"《玉藻》说"至于八月不雨，君不举"等都是。卫为狄灭，而文公大布之衣，大帛之冠；

齐顷公败于鞍,而七年不饮酒,不食肉;都是实行此等制度的。就越勾践的卧薪尝胆,怕也是实行此等制度,而后人言之过甚。然则墨子所主张的,只是古代凶荒札丧的变礼,并不是以此为常行之政,说平世亦当如此。庄子驳他说"其道大觳,反天下之心,使人不堪",只是说的梦话。不论人家的立场,妄行攻驳,先秦诸子,往往有此病。贵俭的具体办法是节用,古人的葬事,靡费得最利害,所以又要说节葬。既然贵俭,一切图快乐求舒适的事,自然是不该做的,所以又要非乐。

隆古之世,自给自足的农业共产社会,彼此之间,是无甚冲突的,所以也没有争战之事,这便是孔子所谓讲信修睦。后来利害渐渐的冲突了,战争之事就渐起。然而其社会,去正常的状态还未远,也不会有什么残杀掳掠之事,这便是儒家所谓义兵。义兵之说,见于《吕氏春秋》的《孟秋纪》、《淮南子》的《兵略训》,这决不是古代没有的事。譬如西南的土司,互相攻伐,或者暴虐其民,王朝的中央政府,出兵征讨,或易置其酋长,或径代流官,如果止于如此而已,更无他种目的,岂非吊民伐罪?固然,此等用兵,很难保军士没有残杀虏掠的事。然而这是后世的社会,去正常的状态已久,已经有了要残杀虏掠的人;而又用他来编成军队之故。假使社会是正常的,本来没有这一回事,没有这一种人,那末,当征伐之际,如何会有残杀虏掠的行为呢?就是在后世,当兵的人,已经喜欢残杀房掠了,然而苟得良将以御之,仍可以秋毫无犯。不正常的军队,而偶得良将,还可以秋毫无犯,何况正常的社会中产生出来的正常的军队呢?所以义兵决不是没有的事。再降一步,就要变成侵略的兵了。此等兵,其主要的目的只是争利,大之则争城争地,小之则争金玉重器;次之则是斗气,如争做霸主或报怨之类。此等用兵,没有丝毫正当的理由。然而春秋战国时代的用兵,实以此类的动机为最多。所以墨子从大体上判定,说攻是不义的。既以攻为不义,自然要承认救守是义的了。墨子的话,不过救时之论,和我们现在反对侵略、主张弱小民族自决等一般。人类到底能不能不用兵呢?用兵到底本身是件坏事情,还是要看怎样用法的呢?这些根本问题,都不是墨子计虑所及。拿这些根本问题去驳墨子,也只算是梦话。

在春秋战国时代,有一个共同的要求,是定于一。当时所怕的,不但是君大夫对人民肆行暴虐,尤其怕的是国与国、家与家之间争斗不绝。前者如今日政治的不良,后者如今日军人的互相争斗。两者比较起来,自然后者诒祸更大了。欲除此弊,希望人民出来革命,是没有这回事的。所可希望的,只是下级的人,能服从上级,回复到封建制度完整时代的秩序。此义是儒、墨、名、法诸家共同赞成的。墨家所表现出来的,便是尚同。

当东周之世,又是贵族阶级崩溃、官僚阶级开始抬头的时代。任用官僚,废除贵族,怕除贵族本身外,没有不赞成的。儒家所表现出来的是讥世卿，法家所表现的是贵法术之士，墨家所主张的则为尚贤。

墨子主张行夏道，自然要想社会的风气，回复到夏代的诚朴。其所以致此的手段，则为宗教。所以要讲天志、明鬼。天和鬼都要有意识，能赏罚的，和哲学上的定命论，恰恰相反，定命论而行，天志、明鬼之说，就被取消了。所以又要非命。

墨子的时代，《史记》说："或曰并孔子时，或曰在其后。"这话大约不错的。墨子只该是春秋末期的人。再后，他的思想，就不该如此陈旧了。农家道学的说法，固然更较墨家为陈旧，然只是称颂陈说，墨子则似乎根据夏道，自己有所创立的。然而墨子的思想，也是够陈旧了的。

以墨子之道来救时，是无可非议的，所难的，是他这道理，如何得以实行？希望治者阶级实行么？天下只有天良发现的个人，没有天良发现的阶级；只有自行觉悟的个人，没有自行觉悟的阶级；所以这种希望只是绝路，这固然是诸家的通病。然而从墨子之道，治者阶级，所要实行的条件，比行别一家的道，还要难些。所以墨子的希望，似乎也更难实现些。墨子有一端可佩服的，便是他实行的精神。孟子说他能摩顶放踵，以利天下。《淮南子》说：墨子之徒百八十人皆可使之赴汤蹈火，死不旋踵。这些话，我们是相信的。我尝说：儒侠是当时固有的两个集团。他们是贵族阶级失其地位后所形成的——自然也有一部分新兴的地主，或者工商阶级中人附和进去，然而总是以堕落的贵族为中坚——他们的地位虽然丧失了，一种急公好义、抑强扶弱、和矜重人格的风气还在。因其天性或环境，而分成尚文与尚武两派。孔子和墨子，只是就这两个集团，施以教育。天下惟有团体，才能够有所作为。罗素说："中国要有热心的青年十万人，团结起来，先公益而后私利，中国就得救了。"就是这种意思，孔子和墨子，都能把一部分人团结起来了。这确是古人的热心和毅力，可以佩服之处。然而如此，就足以有为了么？须知所谓化，是两方面都可以做主动，也都可以成被动的。这些道术之士，都想以其道移易天下。他的徒党，自然就是为其所化的人；他和他的信徒，自然总能将社会感化几分；然而其本身，也总是受社会风气感化的。佛陀不是想感化社会的么？为什么现在的和尚，只成为吃饭的一条路？基督不是想感化社会的么？为什么中国称信教为吃教？固然，这是中国信道不笃的人，然使教会里面而丝毫没有财产，现在热心传教之士，是否还不远千里而来呢？也是一个疑问。我们不敢轻视宗教徒。其中热心信仰传布的人，我相信他是真的；也相信他是无所为而为之的；然而总只是少数。大多数人，总是平凡的，这是我所敢断言的。所以凭你本领大、手段高，结合的人多，而且坚固，一再传后，总平凡化了；总和普通的人一致了。儒者到后来，变做贪于饮食，惰于作务之徒；墨者到后来，也不看见了，而只有汉时的所谓游侠，即由于此。当孔子周游列国之时，岂不说："如有用我者，三千弟子，同时登庸，遍布于天下，天下岂不大治？"然而人在得志后的变化，是很难料的。在宰予微时，安知其要昼寝呢？从汉武帝以后，儒者的被登庸，可说是很多了。孔子周游列国时所希望的，或亦不过如此。然而当时的儒者是怎样呢？假使墨子而得势，赴汤蹈火之士，安知不变作暴徒？就使不然，百八十人，总是不够用的；到要扩充时，就难保投机分子不混进来了。所以墨子救世的精神，是很可佩服的，其手段则不足取。

（四）儒家、阴阳家

儒家的书，传于后世的多了，其政治思想，可考见的也就多，几于讲之不可胜讲。好在儒家之道，在后世最盛行。其思想，几于成为普通思想，人人可以懂得。所以也不必细讲，只要提纲挈领的讲一讲就够了。

儒家的思想，大体是怎样呢？

他有他所想望的最高的境界。这便是所谓大顺。《礼记·乐记》："夫古者，天地顺而四时当，民有德而五谷昌，疾疢不作而无妖祥，此之谓大当。"《礼运》："故事大积焉而不苑，并行而不缪，细行而不失，深而通，茂而有间，连而不相及也，动而不相害也，此顺之至也。"

简而言之，是天下的事情，无一件不妥当；两间之物，无一件不得其所,如此理想的境界,用什么法子去达到他呢?儒者主张根据最高的原理,而推之于人事,所以说:《易》本隐以之显,《春秋》推见至隐。

《易》是儒家所认为宇宙的最高原理的。推此理以达诸人事,所谓本隐以之显。《春秋》是处置人事的法子。人事不是模模糊糊,遇著了随便对付的。合理的处置方法,是要以最高原理为根据的。所以说推见至隐。

宇宙最高的原理,儒家称之为元,所以《易经·乾卦彖辞》说:大哉乾元,万物资始,乃统天。

圣人所以能先天而天弗违,就因其所作为,系根据这一种最高原理。何邵公《公羊解诂》,解释元年春王正月的意义道:"《春秋》以元之气,正天之端;以天之端,正王之政;以王之政,正诸侯之即位;以诸侯之即位,正竟内之治。"

王,根据著宇宙最高的原理,以行政事,而天下的人,都服从他,这便是合理之治实现的方法。

合理之治,是可以一蹴而就的呢,还是要积渐而致的呢?提起这一个问题,就要想到《春秋》三世之义,和《礼运》大同、小康之说。春秋二百四十年,分为三世:第一期为乱世,第二期为升平世,第三期为太平世,是各有其治法的。孔子的意思,是希望把乱世逐渐治好,使之进于升平,再进于太平。据《礼运》之说,孔子似乎承认邃古时代,曾经有一个黄金世界。这个世界,就是孔子所谓大同。其后渐降而入小康。小康以后，孔子虽没有说，然而所谓大同者，当与《春秋》的太平世相当，所谓小康者，当与《春秋》的升平世相当，这是无疑义的，然则小康以后，就是《春秋》所谓乱世，也无可疑的了。所以孔子是承认世界从大同降到小康，再降到乱世，而希望把他从乱世逆挽到升平，再逆挽到太平的。

凡思想，总不能没有事实作根据。中国的文化，是以农业共产社会的文化作中心的，前一讲中，已经述及。此等农业共产的小社会，因其阶级的分化，还未曾显著，所以其内部极为平和；而且因社会小，凡事都可以看得见，把握得住，所以无一事不措置得妥帖。孔子所谓大同，大约就是指此等社会言之。其所希望的太平，亦不过将此等治法，推行之于天下；把各处地方，都造成这个样子。这自然不是一蹴而就的。所以从乱世进到太平，中间要设一个升平的阶段，所谓升平，就是小康。小康是封建制度的初期。虽因各部落互相争斗，而有征服者、被征服者之分，因而判为治人和治于人、食人和食于人的两个阶级，然而大同时代，内部良好的规制，还未尽破坏，总还算得个准健康体，这些话，前一讲中，亦已述及。孔子所认为眼前可取的途径，大约就是想回复到这一个时代。所以孔子所取的办法，是先回复封建完整时代的秩序。

孔子论治，既不以小康为止境，从小康再进于大同的办法，自然也总曾筹议及之。惜乎所传者甚少了。

从乱世进入小康的办法,是怎样呢?

从来读儒家的书的,总觉得它有一个矛盾,便是它忽而主张君权,忽又主张民权。主张君权的,如《论语·季氏》篇所载,礼乐征伐,一定要自天子出;自诸侯出,已经不行;自大夫出,陪臣执国命,就更不必说了。主张民权的,如孟子说民为贵,社稷次之,君为轻;又说闻诛一夫纣矣,未闻弑君也;也说得极为激烈。近四十年来,不论是革命巨子,或者宗社党,遗老,都可以孔子之道自居,这真极天下之奇观了。然则儒家的思想,到底怎样呢?关于这个问题,我以为并不是儒家的思想有矛盾,而是后世读书的人,不得其解。须知所谓"王"与"君",是有区别的。

怎样说"王"与"君"有区别呢?案荀子说:"君者,善群也。群道当,则万物皆得其宜,六畜皆得其长,群生皆得其命。"君怎能使万物如此呢?那就得如班固《货殖传序》听说:这一类材料,古书中不胜枚举,现在只是随意引其一。昔先王之制:自天子公侯卿大夫士,至于皂隶抱关击柝者,其爵禄奉养,宫室车服棺椁祭祀死生之制,各有差品,小不得僭大,贱不得逾贵。夫然,故上下序而民志定。于是辨其土地川泽丘陵衍沃原隰之宜,教民种树畜养五谷六畜,及至鱼鳖鸟兽,萑蒲材干器械之资,所以养生送终之具,靡不皆育。育之以时,而用之有节。草木未落,斧斤不入于山林。豺獭未祭,罝网不布于野泽。鹰隼未击,矰弋不施于溪隧。既顺时而取物,然犹山不槎蘖,泽不伐夭,蝝鱼麛卵,咸有常禁。所以顺时宣气,蕃阜庶物,蓄足功用,如此之备也。然后四民因其土宜,各任智力,夙兴夜寐,以治其业,相与通功易事,交利而俱赡,非有征发期会,而远近咸足。故《易》曰:后以财成辅相天地之宜,以左右民。

这便是《荀子》所谓"天有其时,地有其利,人有其治,夫是之谓能参";亦即《中庸》所谓"能尽其性,则能尽人之性;能尽人之性,则能尽物之性;能尽物之性,则可以赞天地之化育;可以赞天地之化育,则可以与天地参"。言治至此,可谓毫发无遗憾了。然而所谓原始的"君"者,语其实,不过是一个社会中的总账房——总管理处的首领——账房自然应该对于主人尽责的。不尽责自然该撤换;撤换而要抗拒,自可加以实力的制裁。这便是政治上所谓革命,丝毫不足为怪。遍翻儒家的书,也找不到一句人君可以虐民、百姓不该反抗的话。所以民贵君轻,征诛和禅让,一样合理,自是儒家一贯的理论,毫无可以怀疑之处。至于原始的"王",则天下归往谓之王,只是诸侯间公认的首领。他的责任在于:(一)诸侯之国,内部有失政,则加以矫正;(二)其相互之间,若有纠纷,则加以制止或处理。这种人,自然希望他的权力伸张,才能使列国之间,免入于无政府的状态,专恃腕力斗争,其内部则肆无忌惮,无所不为,以为民害。没有王,就是有霸主,也是好的；总胜于并此而无有；所以五霸次于三王。君是会虐民的，所以要主张民权，诸侯则较难暴虐诸侯，如其间有强凌弱、众暴寡的事，则正要希望霸王出来纠正，所以用不著对于天子而主张诸侯之权，对于诸侯而主张大夫之权。这是很明显的理论，用不著怀疑的。王与君的有区别，并不是儒家独特的议论，乃是当时社会上普通的见解。战国之世，卫嗣君曾贬号为君。五国相王，赵武灵王独不肯，曰：无其实，敢处其名乎？令国人谓己曰君，见《史记·赵世家》。就因为只管得一国的事，没有人去归往他之故。春秋之世，北方诸国，莫敢称王，吴楚则否，就因有人去归往他之故。《史记·越勾践世家》说：越亡之后，"诸族子争立，或为王，或为君，滨于江南海上，服朝于楚"。服朝于人的人，也可以称王，便见吴楚的称王，不足为怪了。天无二日，民无二王，是儒家的理想，不是古代的事实。在事实上，只要在一定的区域中，没有两个王就行了。

臣与民是有区别的。臣是被征服的人，受征服阶级的青睐，引为亲信，使之任某种职务，因而养活他的。其生活，自然较之一般被征服者为优裕；甚至也加以相当的敬礼。如国君不名卿老世妇之类。为之臣者，感恩知己，自然要图相当的报称。即使没有这种意气相与的关系，而君为什么要任用臣？臣在何种条件之下，承认君的任用自己？其间也有契约的关系，契约本来是要守信义的，所以说事君"先资其言，拜自献其身，以成其信"；"是故君有责于其臣,臣有死于其言"。见《礼记·表记》。君臣的关系,不过如此。"谋人之军师,败则死之,谋人之邦邑,危则亡之",见《礼记·檀弓》。就不过是守信的一种。至于"生共其乐,死共其哀",秦穆公和三良结约的话,见《韩诗外传》。则已从君臣的关系,进于朋友,非凡君臣之间所有了。这是封建时代的君臣之义,大约是社会上所固有的。儒家进一步,而承认臣对于君自卫的权利。所谓"君之视臣如土芥,则臣视君如寇仇";"寇仇,何服之有"?见《孟子·离娄下》。这是承认遇见了暴君,人臣没有效忠的义务的。再进一步,则主张臣本非君的私人,不徒以效忠于君为义务。所谓"有安社稷臣者,以安社稷为悦"见《孟子·尽心上》。"若为己死而为己亡,非其私昵,谁敢任之?"齐庄公死后晏子说的话,见《左传》。这是儒家对于君臣之义的改善。君臣尚且如此,君民更不必说了。古代的人,只知道亲族的关系,所以亲族以外的关系,也以亲族之道推之,所以以君臣和父子等视;所以说臣弑其君,子弑其父,是人伦的大变。然而既已承认视君如寇仇,则弑君之可不可,实在已成疑问;臣且如此,民更不必说了。——在古代,本亦没有民弑其君这句话。儒家君臣民之义,明白如此。后世顾有以王朝倾覆,樵夫牧子,捐躯殉节为美谈的,那真不知是从何而来的道理了。

儒家是出于司徒之官的,司徒是主教之官,所以儒家也最重教化。这是人人能明白的道理,用不著多讲。所当注意的,则(一)儒家之言教化,养必先于教。"救死而恐不赡,奚暇治礼义哉?"生活问题如没有解决,在儒家看起来,教化两字,简直是无从谈起的。(二)儒家养民之政,生产、消费、分配,三者并重,而其视消费和分配,尤重于生产。因为民之趋利,如水就下,只要你不去妨害他,他对于生产,自然会尽力的,用不著督促,倒是分配而不合理,使人欲生产而无从;消费而不合理,虽有一部分尽力于生产的人,亦终不能给足;而且奢与惰相连,逾分的享用,会使人流于懒惰。所以制民之产,和食之以时,用之以礼,同为理财的要义,不可或缺。(三)所谓教化,全是就实际的生活,为之轨范。譬如乡饮酒礼,是所以教悌的;乡射礼,是所以教让的;都是因人民本有合食会射的习惯,因而为之节文,并非和生活无关的事,硬定出礼节来,叫人民照做;更非君与臣若干人,在庙堂之上,像做戏般表演,而人民不闻不见。可参看《唐书·礼乐志序》。这三点,是后世的人,颇欠注意的;至少,对于此等关系,看得不如古人的清澈。

儒家又有通三统之说。所谓通三统,是封前代的二王之后以大国,使之保存其治法,以便自己的治法不适宜时,取来应用。因为儒者认为"三王之道若循环,终而复始"。所谓三王之道若循环,便是:

夏之政忠。忠之敝,小人以野,故殷人承之以敬。

敬之敝,小人以鬼,故周人承之以文。文之敝,小人以薄,故救薄莫若以忠。《史记·高祖本纪赞》。薄,今本作"僿",徐广曰:"一作薄。"今从之。

儒家一方面兼采四代之法,以为创立制度的标准,而于施政的根本精神,则又斟酌于质文二者之间,其思虑可谓很周密了。所谓四代,就是虞、夏、殷、周。虞、夏的治法,大概是很相近的,所以有时也说三代。孔子兼采四代之法,读《论语·卫灵公》篇颜渊问为邦一节,最可见之。孔子答颜渊之问,是"行夏之时,乘殷之辂,服周之冕,乐则韶舞"。并不是为邦之事尽于此四者,这四句,乃是兼采四代,各取所长之意。孔子论治国之法,总是如此的,散见经传中的,不胜枚举。这是他精究政治制度,而又以政治理论统一之的结果。以政治思想论,是颇为伟大的。这不但儒家如此,就阴阳家也是如此。

阴阳家之始,行夏之时一句话,就足以尽其精义。阴阳家是出于羲和之官的,是古代管天文历法的官。古代生计,以农为本,而农业和季节,关系最大,一切政事,不论是积极的、消极的,都要按著农业的情形,以定其施行或不施行。其具体的规则,略见于《礼记》的《月令》、《吕氏春秋》的《十二纪》、《管子》的《幼官》、《淮南子》的《时则训》。这四者是同源异流、大同小异的。颜渊问为邦,孔子所以要主张行夏之时,因为行夏时,则(一)该办的事,都能按时兴办;(二)不该办的事,不致非时举行。好比在学校里,定了一张很好的校历,一切事只要照著他办,自然没有问题了。孔子所以主张行夏之时是为此,并非争以建寅之月为岁首。空争一个以某月为岁首,有什么意义呢?阴阳家本来的思想,亦不过如此。这本是无甚深意的,说不上什么政治思想。至于政令为什么不可不照著这个顺序行,则他们的答案是天要降之以罚。所谓罚,就是灾异,如《月令》等书有载,春行夏令,则如何如何之类,这并不离乎迷信,更足见其思想的幼稚了。但是后来的阴阳家,却不是如此。

阴阳家当以邹衍为大师。邹衍之术《史记》说他:

> 深观阴阳消息,而作怪迂之变,《终始》《大圣》之篇,十余万言。其语闳大不经。必先验小物,推而大之,至于无垠。先序今以上至黄帝,学者所共术。大并世盛衰。因载其禨祥度制,推而远之,至天地未生,窈冥不可考而原也。……称引天地剖判以来,五德转移,治各有宜,而符应若兹。

邹衍的五德终始,其意同于儒家的通三统。他以为治法共有五种,要更迭行用的。所以《汉书·严安传》引他的话,说:

政教文质者，所以云救也。当时则用，过则舍之，有易则易之。

　　其意跃然可见了。《史记》说衍之术迂大而闳辨，奭也文具难施，则邹奭并曾定有实行的方案，惜乎其不可见了。阴阳家的学说，缺佚太甚，因其终始五德一端，和儒家的通三统相像，所以附论之于此。核其思想发生的顺序，亦必在晚周时代，多见历代的治法，折衷比较，然后能有之。然其见解，较之法家，则又觉其陈旧。所以我以为他是和儒家同代表西周时代的思想的。

　　儒家的政治思想，是颇为伟大周密的，其缺点在什么地方呢？那就在无法可以实现。儒家的希望，是有一个"王"，根据著最高的原理，以行政事，而天下的人，都服从他。假如能够办到，这原是最好的事。但是能不能呢？其在大同之世，社会甚小，事务既极单简，利害亦相共同；要把他措置得十分妥帖，原不是件难事。但是这种社会，倒用不著政治了——也可以说本来没有政治的。至于扩而大之；事务复杂了，遍知且有所不能，何从想出最好的法子来？各方面的利害，实在冲突得太甚了，调和且来不及，就有好法子，何法使之实行？何况治者也是一个人，也总要顾著私利的。超越私人利害的人，原不能说是没有，但治天下决不是一个人去治，总是一个阶级去治，超越利害的私人，则闻之矣，超越利害之阶级，则未之闻。所以儒家所想望的境界，只是镜花水月，决无实现的可能。儒家之误，在于谓无君之世的良好状态，至有君之世，还能保存；而且这个"君道"，只要扩而充之，就可以做天下的"王"。殊不知儒家所想望的黄金世界，只是无君之世才有，到有君之世，就不是这么一回事了。即使退一步，说有君之世，也可以有一个准健康体，我们的希望，就姑止于是，然而君所能致之治，若把"君"的地位抬高扩大而至于"王"，也就无法可致了。因为治大的东西，毕竟和小的不同；对付复杂的问题，到底和简单的不同。所以儒家的希望，只是个镜花水月。

（五）法家

法家之学，在先秦诸子中，是最为新颖的。先秦诸子之学，只有这一家见用于时；而见用之后，居然能以之取天下；确非偶然之事。

法家之学，详言之，当分为法术两端，其说见于《韩非子》的《定法》篇。法术之学的所以兴起，依我看来，其理由如下：

（1）当春秋之世，列国之间，互相侵夺；内之则暴政亟行。当此之时，确有希望一个霸或王出来救世的必要。——后来竟做到统一天下，这是法家兴起之世所不能豫料的。法家初兴之时，所希望的，亦不过是霸或王。而要做成一个霸或王,则确有先富国强兵的必要。要富国强兵,就非先训练其民,使之能为国效力不可。这是法家之学之所以兴起的原因。

(2) 一个社会中,和一人之身一样的。不可有一部分特别发达。一部分特别发达,就要害及全体了。然社会往往有此病。一社会中特别发达的一部分,自然是所谓特权阶级。国与民的不利,都是这一阶级所为。法家看清了这一点,所以特别要想法子对付他。

法家主要的办法,在"法"一方面,是"一民于农战"。要一民于农战,当然要抑商贾,退游士。因为商贾是剥削农民的,商贾被抑,农民的利益,才得保全。国家的爵赏有限,施之于游士,战士便不能见尊异。"术"一方面的议论,最重要的,是"臣主异利"四个字。这所谓臣,并不是指个人,而是指一个阶级。阶级,在古人用语中,谓之朋党。朋党并不是有意结合的,只是"在某种社会中,有某种人,在某一方面,其利害处于共同的地位;因此有意的,无意的,自然会做一致的行动"。不论什么时代、什么社会里,总有一个阶级,其利害是和公益一致的。公共的利益,普通人口不能言,而这一阶级的人,知其所在;普通人没有法子去达到,而这一阶级的人,知其途径,能领导著普通人去趋赴;他们且为了大众,而不恤自己牺牲。这一个阶级,在这个时代,就是革命的阶级。社会的能否向上,就看这一个阶级能够握权与否。这一个阶级,在法家看起来,就是所谓法术之士。

法家本此宗旨,实行起来,则其结果为:

(一)官僚的任用。这是所以打倒旧贵族的。李斯《谏逐客书》庸或言之过甚,然而秦国多用客卿,这确是事实。《荀子·强国》篇说:

> 入境……及都邑官府,其百吏肃然,莫不恭俭敦敬忠信而不楛,古之吏也。入其国,观其士大夫,出于其门,入于公门,出于公门,归于其家,无有私事也;不比周,不朋党,倜然莫不明通而公也,古之士大夫也。观其朝廷,其间听决百事,不留,恬然如无治者,古之朝也。

这就是多用草茅新进之士的效验,腐败的旧贵族,万办不到的。秦国政治的所以整饬,就得力于此。

(二)国民军的编成。古代造兵之法有两种:其一如《管子》所述轨里连乡之制。有士乡,有工商之乡。作内政寄军令之法,专施之于士乡,工商之乡的人,并不当兵。此法兵数太少,不足以应付战国时的事势。其二是如《荀子·议兵》篇所述魏国之法。立了一种标准,去挑选全国强壮的人当兵。合格的,就复其户,利其田宅。这种兵是精强了。然而人的勇力,是数年而衰的,而复其户,利其田宅的利益,不能遽行剥夺。如此,要编成多数的兵,则财力有所不给；若要顾虑到财政，则只好眼看著兵力的就衰。所以这种兵是强而不多，甚至于并不能强。只有秦国的法，刑赏并用，使其民非战无以要利于上，才能造成多而且精的兵。秦国吞并六国时，其兵锋东北到辽东，东南到江南。其时并不借用别地方的兵，都是发关中的军队出去打的。这是何等强大的兵力？秦人这种兵力，都是商君变法所造成。

以上两端，是法术之学应用到实际的效果。法家的长处，在于最能观察现实，不是听了前人的议论，就终身诵之的。所以他在经济上的见解，也较别一家为高超。儒家主张恢复井田，他则主张开阡陌。儒家当商业兴起之世，还说市廛而不税，关讥而不征。他则有轻重之说：主张将（一）农田以外的土地——山泽，和（二）独占的大企业——盐铁，收归国营；而（三）轻重敛散和（四）借贷，亦由国家操其权；免得特殊阶级，借此剥削一般人。轻重之说，不知当时曾否有个国家实行？开阡陌一事，虽然把古来的土地公有制度破坏了，然而照我们的眼光看，土地公有之制，在实际是久经破坏了的，商君不过加以公开的承认；而且在当时，一定曾借此施行过一次不回复旧法的整理。这事于所谓尽地力，是很有效的，该是秦国致富的一个大原因。

法家的政策如此，至其所以行之之道，则尽于"法自然"三字。法自然含有两种意义。其一自然是冷酷的，没有丝毫感情搀杂进去,所以法家最戒释法而任情。其二自然是必然的,没有差忒的,所以要信赏必罚。

法家之学,在先秦诸子中,是最新颖的,最适合于时势的,看上文所说,大略可以知道了。法家亦是先秦诸子之一,怎么在前面,又说先秦诸子的思想,都是落伍的呢?法家之学,亦自有其落伍之处。落伍之处在哪里呢?便是不知道国家和社会的区别。国家和社会,不是一物,在第二讲中,早已说过了。因此,国家和社会的利益,只是在一定的限度内是一致的,过此以往,便相冲突。国家是手段,不是目的。所以国家的权力,只该扩张到一定的程度,过此以往,便无功而有罪。法家不知此义,误以为国家的利益,始终和社会是一致的。社会的利益,彻头彻尾,都可用国家做工具去达到,就有将国权扩张得过大之弊。秦始皇既并天下之后,还不改变政策,这是秦朝所以灭亡的大原因。这种错误,不是秦始皇个人的过失,也不是偶然的事实;而是法家之学必至的结果。所以说法家的思想,也是落伍的。这一层道理,说起来话很长,现在仅粗引其端,其详细,讲到将来,自然更可明白。

"名法"二字,在古代总是连称的。名家之学,如惠施、公孙龙等,所说很近乎诡辩,至少是纯粹研究哲理的,如何会和法家这种注重实用的学问,发生密切的关系呢?关于这个问题,我的意见如此:礼是讲究差别的。为什么要差别,该有一个理论上的根据,从此研求,便成名家之学,而法家之学,是要讲综核名实的。所谓综核名实,含有两种意义:(一)察其实,命之以名。如白的称它为白,黑的称它为黑;牛呼之为牛,马呼之为马。此理推之应用,则马因才任使,如智者使之谋,勇者使之战。(二)循其名,责其实。有谋的责任的,不该无所用心;有战的责任的,不该临阵奔北。如此当加之以罚,能尽职则加之以赏。名家玄妙的理论,虽和法家无关,而其辨别名实的精细,则于法家的理论,深有裨益,所以法家亦有取于名家。名家关涉政治的一方面,已为法家所包含。其玄妙的一部分,则确与政治无关,所以现在不再讲述。还有兵家,亦不是单讲战守的,其根本问题,亦往往涉及治国。这一部分,亦已包含于法家之中,所以今亦不述。

第五讲　秦汉时代的社会

秦以前的政治，和周以前不同，是谁都会说的。然则其不同之处究竟安在呢？

秦始皇并天下后，令丞相御史说：天下大定，而名号不更，无以称成功，传后世。命他们议自己的称号，丞相御史等议上尊号的奏，亦说他"平定天下，海内为郡县，法令由一统，自上古以来未尝有，五帝所不及"。后来赵高弑二世，召集诸大臣公子说："秦故王国，始皇君天下，故称帝。今六国复自立，秦地益小，乃以空名为帝，不可；宜为王如故。"于是立公子婴为秦王。据此看来，当时的人，对于皇和帝的观念，确是不同的。其异点，就在一"君天下"，一不君天下。当春秋时代和战国的前半期，希望尽灭诸国，而自己做一个一统之君，这种思想，大概还无人敢有。并吞六国、统一天下的思想，大概是发生于战国的末期的。前此大家所希望的，总不过是霸或王罢了。然而列国纷争，到底不是苏秦的合从所能加以团结；亦不是张仪的连衡，所能息其兵戈；悬崖转石之机，愈接愈厉，到底并做一国而后已。这可以说是出于前此政治家的虑外的。

帝政成功，则（一）内战可息；（二）前此列国间经济上的隔阂，亦可消除；如撤去列国时代所设的关，出入无需通行证。而且统一之后，对外的力量，自然加强；中国未统一时，蒙古高原不曾有像汉以后匈奴等强大的游牧民族，是中国的天幸。这确较诸霸或王更为有利。但是帝政成功了，君政却全废坠了。

怎样说帝政成功，而君政废坠呢？原来"君者善群也"。他的责任，就是把一群中的事情，措置得件件妥帖。这话，在第四讲论儒家时，业经说过了。原始的君，固未必人人能如此，然以其时的制度论，则确是可以如此的。所以只要有仁君，的确可以希望他行仁政。原来封建政体，即实行分封制的贵族政体中，保留有原始"君"的制度的残余，自从封建政体逐渐破坏，此种制度，亦就逐渐变更了。这话又是怎样说呢？要明白这个道理，先要知道从封建到郡县，在政治制度上，是怎样的一个变迁。我们都知道：秦汉时的县名，有许多就是古代的国名。这许多县，并不是起于秦的。前此地兼数圻的大国中，早已包含著不少了。这就是（一）从远古相传的国，被夷灭而成为大国中的一县。这是县的起源的一种。还有（二）卿大夫的采地，发达而成为县；如《左氏》说晋国韩赋七邑，皆成县之类。（三）以及国家有意设立的。如商君并小乡聚邑为县。此三者，虽其起源不同，而其实际等于古代的一个国则一。所以县等于国，县令等于国君。以次推之，则郡守等于方伯。然则大夫是什么呢？那就是秦汉时的三老、啬夫、游徼之属了。士是什么呢？那就是里魁和什伍之属了。后世都说县令是亲民之官，其实这不过和郡以上的官比较而云然，在实际，县令还不是亲民的。若乡老以下诸职，通统没有，做县令的，也就无所施其技，虽欲尽其"君者善群"的责任而不得了。从秦汉以后，这种职守，渐渐的没落而寖至于无。所以做县令的人，也一事不能办；而只得以坐啸卧治，花落讼庭闲，为为治的极则。县令如此，郡以上的官，更不必说了。所以说"帝政成功，而君政废坠"。

君政为什么会废坠呢？于此，我们又得知道政治上阶级变迁的情形。古代的治者阶级是贵族。他的地位，是因用兵力征服被治者而得的。后世的治者阶级是官僚，官僚是君主所任用的。封建政体的破坏，不但在列国的互相并吞，亦系于一国之中世袭的卿大夫的撤废。卿大夫撤废，皆代之以官僚。灭国而不复封建，而代之以任免由己的守令，亦是如此。所以封建政体灭亡，而官僚阶级，就达于全盛。凡阶级，总是要以其阶级的利益为第一位的；而且总有一种理由，替维持阶级利益做辩护。不一定是私意。官僚阶级里并不是没有好人；尽有顾全公众的利益，而肯牺牲自己的，但是总不免为其所处的地位所局限；以为欲维持公益，非维持其时的社会组织不可，不肖的更不必说了。所以官僚阶级的性质，从理论上说，往往是如此的：

（一）所尽的责任，灭至最小限度。

（二）所得的利益，扩充至最大限度。

所谓利益，是包含（甲）权势，（乙）物质上的收入；（乙）中又包含（A）俸禄，（B）一切因做官而得的收入。此种趋势，其限制：是（a）在上者的督责，（b）在下者的反抗。除此之外，便要尽量的扩充了。所以怠惰和贪污，乃是官僚阶级的本性，不足为怪。天下尽有不怠惰、不贪污的官，此乃其人不但具有官僚性质，而无害于官僚阶级的性质，实系如此，犹之天下尽有不剥削生产者和消费者的商人，然以商业性质论，总是要以最低的价格买进，最高的价格卖出的。

官僚不但指现任官吏，凡（一）志愿做官，即准备以官为职业的人；与（二）无官之名，而与官相结托以牟利的人；都该算入官僚阶级之内。至于（三）为官的辅佐的人，那更不必说了。此三项中，尤以第二项为重要。乡职本来是人民自治的机关，其利益，该与人民一致的。官僚如欲剥削人民，乡职是应该加以反抗的。然到后来，乡职反多与官僚相结合，以剥削人民，即由于官僚阶级扩大，而将第二项人包含进去之故。如此，剥削人民的人，就日益增多，政治上顾全全体利益的方面，就不得不加以制止。要设立许多监察官，去监察乡老以下的自治职，是办不到的。就只得干脆把他废掉。这是汉世很有权威的三老啬夫等职，到后来所以有名无实，甚至并其名而无之的原因。

隋世禁乡老听讼,为其间之一大转关。此等自治职既废,与官相结托以剥削人民者,遂变为现在的土豪劣绅;而自治职之仅存其名者,则沦为厮养,其本身变为被剥削者。以上是说第二项人。至于第一项,即所谓读书人。他们现在虽不做官,然而官僚阶级的得以持续,所靠的实在是这一项人。而且官僚阶级维护其阶级的理论,亦从这一项人而出。所以其关系也是很重要的。这一项人,未必都得到官做,然而前述的第二项中,包含这一项人实甚多;而且很容易转入第三项中的甲项。第三项,依其性质,再分为三类:即(甲)幕友,凡以学识辅助官者属之。(乙)胥吏,为官办例行公事。(丙)厮役,供奔走使令。(乙)之自利方法为舞文。(丙)之自利方法为敲诈。(甲)无与人民直接的机会,如欲剥削人民,必须与(乙)、(丙)或前述的第二项人联合。然官吏的固位、邀宠、卸责的谋划,大多出于甲类的人;而如干谒、行贿等事,甲类中人,亦可代为奔走。

凡一阶级,当其初兴之时,其利害,总是和大多数被压迫的人一致的。及其成功,即其取敌对阶级的地位而代之之时,其利害,便和大多数人相反了。官僚阶级取贵族而代之,即系如此。当这时代,大多数的人民,是怎样呢?因为凡稍有才力的人,都升入官僚阶级里去了。官僚阶级的数量,略有定限,自然有希望走进去而始终走不进的人。然而达得到目的与否是一事,抱这目的与否,又是一事。

他们虽始终走不进去，总还希望走进去，而决不肯退到平民这一方面来，和官僚斗争。于是人民方面所剩的，就只是愚与弱。除掉以暴动为反抗外，就只有束手待毙。苏东坡《志林》论战国任侠最能道破此中消息。

在第二讲中不是说过么？凡社会总有两条心的：即（一）公心，（二）私心。私心虽是要自利，公心总是要利人的。贵族虐民，而官僚阶级出来和他反抗，就是公心的表现。即所谓法术之士。然则到官僚阶级转而虐民的时候，这种公心，到什么地方去了呢？不错，公心是无时而绝的，但是公心要有一条表显的路。在从前贵族阶级跋扈时，法术之士——即官僚阶级的前身，是作为君主为代表公心的机关，教他行督责之术，去打倒贵族阶级的。这时候，官僚阶级既代居贵族的地位，君主应即以其人之道，还治其人之身。但是理想是理想，事实是事实。理想的本性，总想做到十分，一落入事实界，就只能做到两分三分了。君主所行的是政治，政治是实际的事务。凡实际的事务，总是带有调和的性质的，即是求各种势力的均衡。官僚和民众的利益，是处于相反的地位的。而这两个阶级，都有相当的势力，做君主的，不但不能消灭那一方面，并不能过于牺牲那一方面，亦只得求其势力的均衡。所以做君主的，也只能保障官僚的剥削平民，限于某一限度以内。过此以往，便不能为人民帮忙。从前官场中总流行著一种见解："人民固应保护，做官的人，也该叫他有饭吃。"——譬如你为保护人民故,而裁撤官吏所得的陋规,官场中人,就会把这话批评你——就是这种意识的表现。

所以这时候的平民,自己是既愚且弱,不会办什么事了。官吏在责任灭至最小限度、权利扩至最大限度的原则下,不会来替你办什么事的;而且你要自己办事,还会为其所破坏。为什么呢?因为你会办事,你的能力就强了;就会反抗官吏的诛求。而且你有余款,照理,官吏是要榨取去的,怎会让你留著,谋你们的公益事务呢?如此,凡人民相生相养之事,在古代,由其团体自谋,而其后由人君代管其枢者,至此,乃悉废坠而无人过问,而人民遂现出极萧索可怜的状态。中国后世的人,都要讴思古代,这并不是无因的。因为表显在古书中那种"百废俱举,即人和人相生相养之事,积极的有计划、有规模,而人不是在最小限度之下,勉强维持其生存的现象",在后世确乎是不可见了。在物质文明方面,总是随著时代而逐渐进步的,在社会组织方面,则确乎是退步了。人,究竟在物质文明进步、社会组织退步的环境中所得的幸福多呢,还是在物质文明较低、社会组织合理的环境中所得的幸福多呢?这本是很难说的话。何况想象的人,总只注意到古代社会组织合理的一方面,而不甚注意到其物质不发达的一方面呢?讴歌古代,崇拜古代,又何足为怪呢?所以说:帝政成功,君政废坠,实在是政治上的一个大变迁。

人,虽然和盲目的一般,不大会知道他自己所该走的路。然而经长时期的暗中摸索，也总会走上了该走的路。帝政的成功，君政的废坠，既然是政治退化的大原因，人为什么不回到老路上去，把一个大帝国，再斫而小之呢？此则由于人类本来是要联合的。无论从物质方面，精神方面讲，都是如此。而且全世界未至于风同道一，则不能不分为许多民族和国家。异民族和异国家之间，是常有冲突的。有冲突，我们亦利于大。这是已成的大帝国，不能斫而小之的原因。国既不能斫而小之，而国之内又不能无利害冲突，则只有仰戴一个能调和各阶级利害的君主，以希冀保持各阶级间势力的均衡了。帝政从秦灭六国之岁，至于亡清逊位之年，凡绵历二千余载，其原理即由于此。

然则当其时，在政治上，为人民的大害的，就是官僚——用旧话说，可以说是士大夫阶级。——要治天下，就是要把这一个阶级划除，但是要把这一个阶级划除，除非人民自行觉悟奋起不可——君主只能调和于两者之间，前面已经说过了——这是谈何容易的事。所以这时代，所谓政治思想，亦都是官僚阶级的政治思想。官僚阶级的政治思想，又是怎样呢？凡是人的思想，总不免于落伍，这个道理，在第四讲中，已可明白。所以周秦的思想，在周秦之世，已经落伍了，而汉以后人还是沿袭着它，他们受时势的影响而有所发展，可以分做三派：

其一，是看到人民的贫苦愚弱，而想要救济他们的，却没有想到救济人民，没有这一个操刀代斫的阶级。你叫他操刀,他就不代人家斫,而为着自己的目的斫了。

其二,是看到官僚阶级的罪恶,想要对付他的。但是此时的官僚阶级,和前此的贵族阶级不同,前此的贵族阶级,已经走到末路了,所以有新兴的官僚阶级出来打倒他。此时的官僚阶级则尚未至于末路,没有新兴的阶级,所以他始终没有被打倒。

其三,亦知道下级人民,贫苦愚弱得可怜。但是社会的本身,复杂万分。什么事都不是直情径行,所能达其目的的,不但不能连其目的,还怕像斯宾塞所说的那样:修理一块失平的金属板,就在凸处打一锥,凸处没有平,别的地方,倒又凹凸不平起来了。所以照这派人的意见,还是一事不办的好。

这三派的思想,我们把它们排列起来,则

(一)左派:儒家。

(二)中间派:法家。

(三)右派:道家。

我们现在,却先从道家讲起。

第六讲　汉代的政治思想

　　道家是汉定天下以后最早得势的学派。他的思想我们可以盖公和汲黯两个人来做代表。盖公之事，见于《史记·曹相国世家》。《曹相国世家》说，曹参以孝惠帝元年做齐国的丞相，此时天下初定，参尽召长老诸生，问所以安集百姓，诸儒以百数，言人人殊，参未知所定。闻胶西有盖公善治黄老言，使人厚币请之。盖公为言治道贵清静而民自定。曹参听了他的话，相齐九年，齐国安集，人称贤相。后来做了汉朝的宰相，也还是用这老法子。《史记》上记载这两件事，最可见得当时道家的态度。

　　参去，属其后相曰：以齐狱市为寄，慎勿扰也。后相曰：治无大于此者乎？参曰不然，夫狱市者，所以并容也，今君扰之，奸人安所容也？吾是以先之。

　　为汉相国，举事无所变更，一遵萧何约束。择郡国吏，木讷于文辞重厚长者，即召除为丞相史。吏之言文刻深欲务声名者，辄斥去之。

　　于此，我们可以知道道家得失。他的所谓并容里面，实包含着无限的丑恶。不务绝奸人，而反求所以并容之，天下哪有这治法？然而却能得到好声名，这是何故？原来天下事最怕的，是上下相蒙。大抵善为声名的人，总是涂泽表面，而内容则不堪问。你叫他去治岳市，他在表面上替你把岳市治得很好了，便是你自己去查察，也看不出什么毛病来，然而实际可以更坏。为什么呢？（一）他会嘱咐手下的人，说丞相要来查察什么什么事情——表面上的——你们要得当心些，暗中就可风示他，实际的事情拆烂污些不妨，甚至于公然嘱咐，只要涂泽表面就够了。如此，手下的人本来胆小不敢作弊的，就敢作弊了。本来老实不会作弊的，就会作弊了。（二）他可以威胁岳市中的人不敢举发他的弊病，甚而还要称颂他。（三）而他还可以得些物质上不正当的利益。所谓巧宦，其弊如此。所以用这一种人去治国，是旧弊未除，又生新弊。简而言之，就是弊上加弊，弊+弊=2弊。倒不如用老实的人，他虽无能力改良事情的内容，倒也想不出法子来，或者虽想得出法子而也不敢去涂泽表面，这却是弊+0，所以从来用质朴无能的人，可以维持现状，使其不致更坏，即由于此。这就是曹参的所以成功，岂但曹参，汉文帝所以被称为三代后的贤君，也不外乎这个道理。所以后来汉武帝所做的事情，有许多并不能说是没有理由，至少他对朝臣所说的吾欲云云，其所云云者，决不是坏话，然而汲黯看了，他就觉得很不入眼，要说他内多欲而外施仁义，奈何欲效唐虞之治了。

然则在中国历史上，放任政策总得到相当的成功，确有其很大的理由。这种放任政策确也不能不承认他是有相当的长处。然而其长处,亦只是维持现状而已,要说到改进治化就未免南辕北辙。试即以汉文帝之事为证。《史记·平准书》说:

> 至今上即位数岁,汉兴七十余年之间,国家无事,非遇水旱之灾,民则人给家足,都鄙廪庾皆满,而府库余货财。京师之钱累巨万,贯朽而不可校。太仓之粟,陈陈相因,充溢露积于外,至腐败不可食。众庶街巷有马,阡陌之间成群,而乘字牝者摈而不得聚会。守闾阎者食粱肉,为吏者长子孙,居官者以为姓号,故人人自爱而重犯法,先行义而后绌耻辱焉。当是之时,网疏而民富,役财骄溢,或至兼并,豪党之徒,以武断于乡曲。

兼并总是行于民穷财尽之时的,果真人给家足,谁愿受人的兼并?又谁能兼并人?然则《史记》所述富庶的情形,到底是真的呢,假的呢?从前有人说所谓清朝盛时的富庶,全是骗人的。不然为什么当时的学者如汪中、张惠言等,据其自述未达之时,会穷苦到这步田地。难道这些学者都是骗人的么?我说两方面的话,都是真的。大抵什么时代都有个不受人注意的阶级,他就再困苦煞,大家还是不闻不见的。所谓政简刑清,所谓人给家足,都只是会开口的、受人注意的阶级，得些好处罢了。所以董仲舒说：

> 富者田连阡陌，贫者亡立锥之地，又颛川泽之利，筦山林之饶，荒淫越制逾侈以相高，邑有人君之尊，里有公侯之富。……贫民常衣牛马之衣，而食犬彘之食。

晁错也说：

> 今农夫五口之家，其服役者不过二人，其能耕者不过百亩，百亩之收，不过百石。春耕夏耘，秋获冬藏，伐薪樵，治官府，给繇役，春不得避风尘，夏不得避暑熟，秋不得避阴雨，冬不得避寒冻，四时之间，亡日休息。又私自送往迎来，吊死问疾，养孤长幼在其中。勤苦如此，尚复被水旱之灾，急政暴虐，赋敛不时，朝令而暮改。当其有者半价而卖，亡者取倍称之息，于是有卖田宅鬻子孙以偿责者矣。而商贾大者积贮倍息，小者坐列贩卖，操其奇赢，日游都市，乘上之急，所卖必倍。故其男不耕耘，女不蚕织，衣必文采，食必粱肉，亡农夫之苦，有阡陌之得，因其富厚，交通王侯，力过吏势，以利相倾，千里游敖，冠盖相望，乘坚策肥，履丝曳缟。此商人所以兼并农人，农人所以流亡者也。

观此则《史记》所谓人给家足,是什么人,什么家,就很可以明白了,何怪其有兼并和被兼并的人呢?然则《汉书·刑法志》说:

> 及孝文即位,躬修玄默,劝趣农桑,减省租赋。而将相皆旧功臣,少文多质,惩恶亡秦之政,论议务在宽厚,耻言人之过失。化行天下,告讦之俗易,吏安其官,民乐其业,畜积岁增,户口寖息,风流笃厚,禁网疏阔。选张释之为廷尉,罪疑者予民,是以刑罚大省,至于断狱四百,有刑错之风。

这所谓禁网疏阔,就是《史记·平准书》所谓网疏;断狱四百,并非天下真没有犯罪的人,不过纵释弗诛罢了。所纵释的是何等样人,也就可想而知了。所以历代的放任政策,其内容,是包含著无限的丑恶的。难怪儒家要主张革命了。

汉代儒家的思想,可以分为两大端:一为均贫富,一为兴教化。他们的均贫富,还是注意于平均地权,激烈的要径行井田,缓和的则主张限民名田。他们对于经济的发展,认识是不足的,所以都主张重农抑商,主张返于自给自足时代经济孤立的状况。这个读《盐铁论》的《散不足》篇最易见得。关于经济问题,近来研究的人多了,书籍报章杂志时有论述,大家都有些知道,现因时间短促,不再多讲。现在且略述汉儒兴教化的问题。

汉儒对于兴教化,有一点,其见解是远出于后世人之上的。我们试看《史记·叔孙通传》,当他要定朝仪的时候:

> 使征鲁诸生三十余人。鲁有两生不肯行,曰:……今天下初定,死者未葬,伤者未起,又欲起礼乐。礼乐所由起,积德百年而后可兴也。吾不忍为公所为,公所为不合古。

这正和古人所谓先富后教,乐事劝功,尊君亲上,然后兴学同。所以汉人所谓兴教化,其根本乃在于改制度。我们试看《汉书·贾谊传》载他的话说:

> 秦人家富子壮则出分,家贫子壮则出赘。借父耰锄,虑有德色,母取箕帚,立而谇语;抱哺其子,与公併倨,妇姑不相说,则反唇而相稽。其慈子耆利,不同禽兽者亡几耳。……天下大败,众掩寡,知欺愚,勇威怯,壮陵衰,其乱至矣。……其遗风余俗,犹尚未改,今世以侈靡相竞,而上亡制度,弃礼义,捐廉耻,日甚,可谓月异而岁不同矣。逐利不耳,虑非顾行也,今其甚者,杀父兄矣。盗者剟寝户之帘,搴两

第六讲 汉代的政治思想

庙之器,白昼大都之中,剽吏而夺之金,矫伪者出几十万石粟,赋六百余万钱,乘传而行郡国,此其亡行义之尤至者也。

可谓痛切极了。而他又说:

而大臣特以簿书不报,期会之间,以为大故。至于俗流失,世败坏因恬而不知怪,虑不动于耳目,以为是适然耳。夫移风易俗,使天下回心而乡道,类非俗吏之所能为也。……夫立君臣,等上下,使父子有礼,六亲有纪,此非天之所为,人之所设也。夫人之所设,不为不立,不植则僵,不修则坏。

他之所谓设则是:

以为汉兴二十余年,天下和洽,宜今"义"字。当改正朔,易服色制度,定官名,兴礼乐,乃草具其仪法,色上黄,数用五,为官名悉更,奏之。

色上黄,数用五,由今看来,固然是毫无关系之事,如此改革,似乎滑稽而且不离乎迷信,然而古人所谓改正朔、易服色等事,并不是像后世止于如此而已,而是相连有一套办法的。这个读第四讲中论儒家的话已可见得。然则当时贾谊所主张改变的,决不止此两事,不过《史记》《汉书》都语焉不详罢了。但看他"为官名"三个字——这是改变一切机关——便可知其改革规模之大。

再一个显著的例,便是董仲舒。他说:

> 自古以来,未尝有以乱济乱,大败天下如秦者也。其遗毒余烈,至今未灭。使习俗薄恶,人民嚚顽,抵冒殊扞,孰烂如此之甚者也。孔子曰:"腐朽之木不可雕也,粪土之墙不可圬也。"今汉继秦之后,如朽木粪墙矣。虽欲善治之,亡可奈何。法出而奸生,令下而诈起,如以汤止沸,抱薪救火,愈甚亡益也。窃譬之,琴瑟不调,甚者必解而更张之,乃可鼓也。为政而不行,甚者必变而更化之,乃可理也。

董仲舒对于汉代制度的改革,是大有功劳的人。"推明孔氏,抑黜百家,立学校之官,州郡举茂材孝廉,皆自仲舒发之。"

其尤激烈的则为翼奉。他以为:

> 祭天地于云阳汾阴,及诸寝庙,不以亲疏迭毁,皆烦费,违古制。又宫室苑囿,奢泰难供,以故民困国虚,亡累年之蓄。所繇来久,不改其本,难以末正。乃上疏曰:臣闻古者盘庚改邑,以兴殷道,圣人美之。

> 窃闻汉德隆盛,在于孝文……如令处于当今,因此制度,必不能成功名。……臣愿陛下徙都于成周……迁都正本,众制皆定。

生活是最大的教育,要人民革新,必须替他造出新环境来,置之新环境中,虽日挞而求其旧,不可得矣。间尝论之,儒家之兴,并非偶然之事,秦始皇虽然焚书坑儒,然当他坑儒的时候曾说:

> 吾前收天下书不中用者尽去之,悉召文学方术士甚众,欲以兴太平,方士欲练以求奇药。

"欲以兴太平"上,当夺"文学"两字。文学便是当时的儒家。可知始皇并非不用儒者,所以要用儒者,就是因为当时的天下非更化不可,要更化非改制度不可,而改制度之事,惟有儒家最为擅长。所以假使秦始皇享国长久,海内更无其他问题,他一定能有一番改革——建设——改革。秦皇汉武正是一流人。

儒家所谓教化,其先决问题是民生,至于直接手段则是兴庠序,看《汉书·礼乐志》便可知道。他们对于现状,是认为极度的不安,而想要彻底改革的,所以我说他们是最革命的。

然而儒家不能不为法家所窃笑。为什么呢?我们试读

《汉书》的《元帝本纪》：

> 立为太子……柔仁好儒，见宣帝所用多文法吏，以刑名绳下，大臣杨恽、盖宽饶等坐刺讥辞语为罪而诛，尝侍燕从容言：陛下持刑太深，宜用儒生。宣帝作色曰：汉家自有制度，本以霸王道杂之，奈何纯任德教、用周政乎？且俗儒不达时宜，好是古非今，使人眩于名实，不知所守，何足委任？乃叹曰：乱我家者，太子也。

宣帝所谓霸，便是法家；所谓王，是儒家；以霸王道杂之，谓以督责之术对付官僚阶级，以儒家宽仁之政对待人民。质而言之，便是"严以察吏，宽以驭民"，这实在是合理的治法。倘使纯用霸道，则待人民太暴虐，全社会都将骚然不宁，丧其乐生之心，这便是秦朝的所以灭亡。至于纯用王道，则元帝便是一个榜样。我们试将《元帝纪》读一过。儒家所谓宽仁之政，几于史不绝书，然而汉治反于此时大坏，这是什么缘故呢？因为官僚阶级的利益是和人民相反的，要保护人民，其要义就在于约束官僚，使不能为民害，若并官僚阶级而亦放纵之，那就是纵百万虎狼于民间了。汉朝政治之放纵——督责之术之废弛，是起于元帝之世的，所以汉朝的政治，也坏于元帝时。为什么元帝会放纵治者阶级使为民害呢？其弊便在于不察名实。名就是理论，实就是情形，理论虽好，要和现状相合方才有用。比如合作运动自然是好的，然而能否推行于中国社会，换一方面说，便是现在的中国社会能否推行合作运动？更具体些说，叫农民组织合作社，向农民银行借款。到底来借款的是真正农民呢，还是营高利贷业者的化身？这是大须考虑的。假如说现在来贷款的都是真正农民了，然而现在的农民银行设立尚未普遍，假使要普遍设立，是否能保持现在的样子——即来贷款者真正都是农民——如曰能之，还是目前就能够呢，还是要一面养成人才，一面整顿吏治徐徐进行的呢？如此便又发生推广的迟速问题。这些都是应该考虑的、应该考察的实际。合作事业的能否办好，就看这种事先的考虑是否周密，随时的考虑是否认真，单是精于理论，即对于书本上的合作有研究，是无用的。现今模仿外国所以不能成功，甚至反有弊病，即由于此。汉儒的崇拜古人，就和现在的崇拜外国一样，不论什么事，只要儒家的书上说古代是如此的，就以为是好的，而不管所谓古代者其情形与现代合不合，这正和现代有些人，只要是外国的总是好的，而不管其和中国社会的情形合不合一样——此等人不论其所崇拜的是什么东西，总之皆成为偶像了。要打倒偶像，这种偶像，就是该首先打倒的。泥塑木雕的倒还在其次。不察名实，自然不达时宜——就是不知道现在该怎样，不知道现在该怎样，自然可以信口开河——是古非今了。

法家也有法家的毛病,便是董仲舒所谓诛名而不责实,——诛名而不责实,其实也还是不察名实。——然而真正的法家,的确不是如此。汉朝虽号称崇儒,其实在政治上,有许多卓绝的法家。而我所要力劝大家读的,尤其是《汉书》的《黄霸传》。现在且不避文繁,节录其辞如下:

> 黄霸字次公,淮阳阳夏人也。以豪杰役使,徙云陵。霸少学律令,喜为吏。……霸为人明察内敏,又习文法,然温良有让,足知,善御众。……自武帝末,用法深。昭帝立,幼,大将军霍光秉政,大臣争权,上官桀等与燕王谋作乱,光既诛之,遂遵武帝法度,以刑罚痛绳群下,繇是俗吏尚严酷以为能,而霸独用宽和为名。会宣帝即位,在民间时知百姓苦吏急也。闻霸持法平,召以为廷尉正,数决疑狱,庭中称平。守丞相长史,坐公卿大议庭中,知长信少府夏侯胜非议诏书大不敬,霸阿从不举劾,皆下廷尉,系狱当死。霸因从胜受《尚书》狱中。……上擢霸为扬州刺史。……为颍川太守。……时上垂意于治,数下恩泽诏书,吏不奉宣。……霸为选择良吏,分部宣布诏令。……使邮亭乡官皆畜鸡豚,以赡鳏寡贫穷者。然后为条教,置父老师帅伍长,班行之于民间,劝以为善防奸之意,及务耕桑,节用殖财,种树畜养,去食谷马。米盐靡

密，初若烦碎，然霸精力能推行之。吏民见者，语次寻绎，问它阴伏，以相参考。尝欲有所司察，择长年廉吏遣行，属令周密。吏出，不敢舍邮亭，食于道旁，乌攫其肉。民有欲诣府口言事者适见之，霸与语道此。后日吏还谒霸，霸见迎劳之，曰：甚苦，食于道旁，乃为乌所盗肉。吏大惊，以霸具知其起居，所问毫厘不敢有所隐。鳏寡孤独有死无以葬者，乡部书言，霸具为区处，某所大木可以为棺，某亭猪子可以祭，吏往皆如言。其识事聪明如此，吏民不知所出，咸称神明。奸人去入它郡，盗贼日少。霸力行教化而后诛罚，务在成就全安。……霸以外宽内明得吏民心，户口岁增，治为天下第一。征守京兆尹。……归颍川太守官。……治如其前。前后八年，郡中愈治。是时凤皇神爵数集郡国，颍川尤多。天子……下诏称扬曰：颍川太守霸，宣布诏令，百姓乡化，孝子弟弟贞妇顺孙，日以众多，田者让畔，道不拾遗，养视鳏寡，赡助贫穷，狱或八年亡重罪囚，吏民乡于教化，兴于行谊……代邴吉为丞相……京兆尹张敞舍鹖雀飞集丞相府，霸以为神雀，议欲以闻。敞奏霸曰：窃见丞相请与中二千石博士杂问郡国上计长吏守丞，为民兴利除害，成大化，条其对，有耕者让畔，男女异路，道不拾遗，及举孝子弟弟贞妇者为一辈，先上殿，举而不知其人数者次之，不为条教者在后叩头谢。丞相虽口不言，而心欲其为之也。长吏守丞对时,臣敞舍有鹖雀飞止丞相府屋上,丞相以下见者数百人。边吏多知鹖雀者,问之,皆阳不知。丞相图议上奏曰:臣闻上计长吏守丞以兴化条,皇天报下神雀。后知从臣敞舍来,乃止。郡国吏窃笑丞相仁厚有知略,微信神怪也。昔汲黯为淮阳守,辞去之官,谓大行李息曰:御史大夫张汤怀诈阿意,以倾朝廷,公不早白,与俱受戮矣。息畏汤,终不敢言。后汤诛败,上闻黯与息语,乃抵息罪而秩黯诸侯相,取其思谒忠也。臣敞非敢毁丞相也,诚恐群臣莫白,而长吏守丞畏丞相指,归舍法令,各为私教,务相增加,浇淳散朴,并行伪貌,有名亡实,倾摇解怠,甚者为妖。假令京师先行让畔异路,道不拾遗,其实亡益廉贪贞淫之行,而以伪先天下,固未可也,即诸侯先行之,伪声轶于京师,非细事也。汉家承敝通变,造起律令,即以劝善禁奸,条贯详备,不可复加。宜令贵臣明饬长吏守丞,归告二千石,举三老、孝弟、力田、孝廉、廉吏,务得其人,郡事皆以义法令检式,毋得擅为条教,敢挟诈伪以奸名誉者,必先受戮,以正明好恶。……

豪杰役使,颜师古曰:身为豪杰而役使乡里人也。可见黄霸本是所谓土豪劣绅之流。大抵善于邀名的人,必求立异于众。——因为不立异,则不过众人中的一人,天下人如此者多，就不足以得名了。……黄霸本是个务小知任小数的人，论他的才具很可以做一个汉朝的文吏，只因当时的官吏竟趋于严酷，为舆论所反对，乃遂反之以立名，而适又有夏侯胜的《尚书》以供其缘饰，又适会宣帝要求宽仁之吏，就给他投机投个正著，一帆风顺，抉摇直上了。生活是最大的教育，人是不能以空言感化的，人是个社会动物，处在何等社会中，就形成何等样人，丝毫不能勉强，断非空言之力所能挽回。所以古来言教民者，必在既富之后，质而言之，就是替他先造新环境，新环境既已造成，就不待教而自正了。如其不然，就万语千言悉成废话，这种道理，当发为空论之际，也是人人懂得的。及其见诸实施，却又以为人民可以空言感化，至少以为要先把人心改变过来，然后制度乃可随之而改了。人类缺乏一贯的思想，处处现出自相矛盾的景象，真可叹息。人民可以空言化，在庙堂之上的人，或者和社会隔绝了，信以为实。然在奉行其事的人，是不会不知道实际的情形的，然而竟没有一个人把无益实际的话入告，只见诏书朝下于京城宣布，夕遍于海澨，人类的自欺欺人，实在更可叹息。有手段的人，他要人家说的话，自然会有人替他说的，他要人家不说话，自然没有人敢说。他希望有什么事，自然会有人造作出来，他希望没有什么事，自然会有人替他隐讳掉。我们只要看边吏多知鹖雀，问之皆阳不知，便可知道黄霸治郡时，所谓盗贼日少，户口岁增，是虚是实了。然则他怎会获得如此的好名誉呢？大抵人有两种：一种是远听的，一种是近看的。声名洋溢的人，往往经不起实际的考察，在千里万里之外听了，真是大圣大贤，到他近处去一看，就不成话了。但是社会是采取虚声的，一个人而苟有手段造成了他的虚名，你就再知道他是个坏人，也是开不得口。不但开不得口，而且还只能人云亦云地称颂他，不然人家不说他所得的是虚名，反说你所说的是假话。俗说若要人不知，除非己莫为。作伪的人，岂真有什么本领，使他的真相不露出来？不过社会是这样的社会，所以这种人的真相，虽然给一部分人知道了，却永远只有这一部分人知道，决不会散布扩大出去的。然而张敞居然敢弹劾盛名之下的黄霸，我们就不得不佩服法家综核名实的精神了。他奏黄霸的话，真乃句句是金玉。让畔异路，道不拾遗，其实亡益廉贪贞淫之行，造起律令，即以劝善禁奸，尤其是至理名言。因为你要讲革命是另一件事，在革命未成以前劝人为善，只是能为现状下之所谓善，禁奸也只能禁现状下之所谓奸。明明是现状下所不能为的事，你却要叫人去做，人家也居然会照著你的话去做，这不是作伪还是什么？其实何益呢？不过浇淳散朴罢了。

　　法家这种综核名实的精神，自元帝以后莫之能行，以至亡国。后汉得天下，光武帝虽然厚貌深文，其实行督责之术，是很严紧的。他当时对于一班开国的功臣，以及有盛名可以做三公的人，明知其不可施以督责，所以舍而弗用，而宁任用一班官僚，这就是后汉所以能开二百余年之治的原因。从中叶以后，督责之术又废了，于是官僚阶级又横行起来，益之以处士横议，而后汉遂至于灭亡。起而收拾残局的魏武帝、诸葛孔明，都是励行综核名实的人，所以事势又有转机。然而一两个人的苦力支撑，终不能回狂澜于既倒，于是纪纲日废，而魏晋清谈之俗兴，神州大陆遂终于不可保守而为五胡所占据了。

魏晋以后的政治思想，无甚特别之处——大抵承汉人的绪余——今因限于时间亦不再加讲述。还有一篇最值得注意的文字，便是《论衡》的《治期》篇。此篇力言国家之治乱，与君主的贤否无涉。换一句现在的话说，便是政治控制不住社会，社会而要向上，政治是无法阻止的。若要向下，政治亦无力挽回，而只好听其迁流之所届。这是我们论后世的政治所要十分注意的。

第七讲　魏晋至宋代以前的政治思想

魏晋南北朝是中国政治思想消沉的时代，这一个时代之中，并不是没有有政治思想的人，然其思想大都不脱汉人的科臼，直到两宋之世，而中国的政治思想才又发出万丈的光焰，这是什么原故呢？

原来政治的目的，不外乎安内与攘外。当对外太平无事时，大家的眼光都注重在内治一方面。对外问题急迫了，整个国家的生存要紧，其余的问题，就只得姑置为缓图了。中国对外的问题是到什么时候才严重起来的呢？这个问题的答案，我们不能不说是宋代，这又是为什么呢？

在周以前，我们对于异族实在是一个侵略者，而不是一个被侵略者，这一层在第二讲中业经说过了。两汉时代，情形还是如此。五胡乱华，是中原受异族的侵略之始。但是这时候侵略的异族，民族意识都不甚晶莹，这个只要看当时的异族没一个不自附于汉族古帝皇之后可知。这（一）因他们的文化程度较低，（二）因归附中原、杂居塞内已久，当其乱华之时，业已有几分同化。到辽、金时代便不然了。辽人的民族意识业已较五胡为强，至金人则其和汉族的对立更为尖锐。只要看金世宗的所为，便可知道。而且五胡是以附塞或塞内的部落作乱的，也有一半可以说是叛民的性质，至于辽、金则是在塞外建立了强大的国家然后侵入的，所以其性质更为严重。

异族侵入的原因是甚么呢？其中第一件，便是中原王朝兵备的废弛，以两汉时代的兵力，异族本没有侵入的可能，三国时代中原虽然分裂，兵力并没有衰弱，为什么前此归附的异族一到两晋时代居然能在中原大肆咆哮，而汉族竟无如之何呢？原来兵权的落入异族之手并非一朝一夕之故。中国在古代本不是全国皆兵的，各国正式的军队，只是当初的征服者，至于被征服者虽非不能当兵，然事实上只令他们守卫本地，和后世的乡兵一样。直到战国之世，战争的规模大了，旧有的兵不给于用，才把向来仅令其守卫本地的兵，悉数用作正式军队。这话在第三讲中亦已说过。从此以后我们就造成一个全国皆兵的制度了。但是这种制度，到秦汉之世却又逐渐破坏，这又是为什么呢？因为古代国小，人民从事于征戍，离家不甚远，所以因此而旷废时日以及川资运粮等等的耗费，亦比较不大，到统一以后，就不是这么一回事了。所以当用兵较少的时候，还可以调发民兵，较多的时候便要代之以谪发或谪戍。汉朝自文景以前，用兵大都调自郡国，而前乎此的秦朝以及后乎此的武宣都要用谪发和谪戍，就是这个道理。汉朝的兵制，是沿袭秦朝的。民年二十三则服兵役，至五十六乃免，郡国各有都尉，以司其讲肄和都试。戍边之责，也是均摊之于全国人的，人人有戍边三日的义务——虽然不能够人人自行，然而制度则是如此——自武宣多用谪发之后，实际上人民从征之事已较少，至后汉光武欲图减官省事，把郡国都尉废掉，从此以后，民兵制度就简直不存在了。当兵本来是人情容易怕的，统一之后，腹地的人民距边寇较远，就有民兵制度，也易流于有名无实，何况竟把他废掉呢？从此以后，普通的人民，就和当兵绝缘。当兵的总是特种的人民，——用得多的时候，固然也调发普通人民，然而只是特殊的事。——而尤其多被利用的，则是归附的异族。这种趋势，当东汉时代业已开始了，至西晋而尤甚。五胡乱华之后，自然多用其本族之人为主力的军队，所以这时候，武力是始终在异族手里的。这是汉人难于恢复的一个大原因。隋唐之世，汉族业已恢复了，局面似乎该一变，但是用异族当兵，业已用惯了，既有异族可以当兵，乐得使本国人免于宽典，况且用兵于塞外，天时地利，都以即用该方面的人为适宜，而且劳费也较少。所以论起武功来，读史者总是以汉唐并称，其实汉唐不是一样的。汉代的征服四夷，十次中有七八次是发自己的兵，实实在在的去打——尤其对于最强的匈奴是如此。汉朝打西域，是用本国兵最少的，而西域却是最势分力弱的小敌——唐朝却多用蕃兵，到后来，并且守御边境亦用蕃兵为主力，因此酿成安史之乱。安史乱后，军队之数是大增加了，然而不是没有战斗力，就是不听命令，遇事总不肯向前，以致庞勋、黄巢之乱，都非靠沙陀兵不能打平。从此以后，沙陀就横行中原，而契丹也继之侵入了。分裂是最可痛心的事。当分裂之世，无论你兵力如何强大，是只会招致异族以共攻本国人，断不会联合本国人以共御外侮的——这是由于人情莫不欲争利，而利惟近者为可争，人情莫不欲避害，而害惟近者为尤切，所以非到本国统一之后，不能对外，什么借对外以图团结本国等等，都只是梦话——然而到中原既已统一之后，又因反侧之心未全消弭，非图集中兵权或更消灭或削弱某一部分的兵力不可，北宋便是这个时代。所以经前后汉之末两次大乱之后，中原王朝的兵力实在是始终不振的，而在塞外的异族却因岁月的推移逐渐强大，遂有辽、金、元等部落，在塞外先立了一个大国，而后以整个的势力侵入中原，使中原王朝始而被割掉一部分领土，继而丧失全国之半，终乃整个的被人征服了。所以当这时代，中原王朝的武力该怎样恢复，实在是一个大问题。

　　是把国内治好了，然后御外呢？还是专讲对外，其余都姑置为缓图呢？这自然是民族当危急存亡时，首先引起的重要问题。假如中国是一个小国，自然当危急存亡时，一切都将置诸不问，而姑以却敌为先务，然而事实不是如此。中国土地之大，人口之多，物资之丰富，以及文化程度之高，一切都远出异族之上，异族的凌侮无论如何剧烈，在中国政治家的眼光中，是不会成为惟一的问题的。况且中国人素来以平天下为怀，认为异族的凌侮，只是暂时的变态，到常态回复了，他们总要给我们同化的，这原是中国人应尽的责任。这种自负的心理，是不会因时局的严重而丧失的。而且物必自腐而后虫生，国必自伐而后人伐，外患的严重，其根源断不能说不由于内忧。所以外患的严重，本不能掩蔽内忧，而减少其重要性，而且因外患的严重，更促起政治家对于国内问题的反省，所以自宋到明这一个民族问题严重的时代，却引起政治思想的光焰。

这时候的政治思想集中在哪几点上面呢？国家的根本是人民，人民第一个重要的问题便是生活，生活都不能保持，自然一切无从说起了。假使生活而能保持了，那就要解决"饱食暖衣逸居而无教，则近于禽兽"的问题了，这也是传统的思想上看得极为严重的问题。这是中国自古以来就是如此的。从三国到南北朝，因为时局的纷扰，谈政治的人忙于眼前的问题，对于这种根本问题比较两汉时代要淡得多了。到隋唐之世因为时局较为安定，对于根本问题用心探索的人又较多，至宋代而大放其光焰。

当这一个时代，关于"教养"问题的现状却是怎样的呢？请略说其大概如下：

关于"养"的问题，平均地权和节制资本实在是一样的重要。但是自汉以后，儒家之学盛行，儒家是偏重于平均地权的，所以大多数人的思想也侧重在这一方面。儒家所怀抱的思想又分为两派，激烈的是恢复井田，缓和的是限民名田。激烈派的思想经新莽实行而失败了，没有人敢再提起，东汉以后多数认为切实易行的，是限民名田。晋朝的户调式、北魏的均田令、唐朝的租庸调法，都是实行此项理想的。后汉末的大乱，人民死亡的很多，自此经两晋南北朝，北方经过与蛮族的斗争，死亡也很剧烈。此时的土地是比较有余的，又得授田的制度以调剂其间，所以地权不平均的问题，比较不觉得严重。唐朝自贞观至于开元，时局是比较安静的。安静之时，资本易于蓄积，并兼之祸即随之而烈。天宝以后，藩镇割据，战祸除（一）安史之乱时；（二）黄巢乱时；（三）梁唐战争；（四）唐晋与契丹的战争，直接受祸的区域外，其实并不甚烈。人民死亡不能甚多。而（A）苛政亟行，（B）奢侈无度，封建势力和商业资本乘机大肆剥削，人民被逼得几于无路可走，我们试一翻《宋史》，便知道（1）当时的田无税的很多，（2）当时的丁不役的很多。这都是有特殊势力的人所得的好处，而其负担则皆并于贫弱之家。（3）民间借贷自春及秋便本利相侔，设或不能归偿，则什么东西债权人都可以取去抵债。见《宋史·陈舜俞传》。所以当时司马光上疏说：农民的情景是"谷未离场，帛未下机，已非己有，所食者糠籺而不足，所衣者绨褐而不完，直以世服田亩，不知舍此更有何可生之路耳"。呜呼痛哉！在政治上，（甲）自两税法行后，连名存实亡的平均地权的法令都没有了，（乙）

而役法又极酷，（丙）而唐中叶后新增的苛税如盐、茶、酒及商业上的过税、住税等，宋朝又多未能删除，这些直接间接也都是人民的负担。租税的大体，自宋迄明未之有改，而元朝以异族入主中原又加重了封建势力的剥削。明朝自中叶以后，朝政的紊乱，又为历代所未有，藩王、勋戚、宦官等的剥削平民以及所谓乡绅的跋扈，亦是历代所罕有，所以民生问题，可以说自宋至明，大致都在严重的情形中。

至于教的问题，则除汉朝贾生、董生等所说一种贫而弱而愚的可怜情形外，另有一个严重的问题。中国古代宗教上崇拜的对象，最大的是地，次之则是吃田豕的虎，吃田鼠的猫，或防水的堤防等，再次之则是在家的门神、灶神，出门时的行神，及管个人寿算的司命等。见《礼记·郊特牲》及《祭法》。古时的人们对于祭天，是没有关系的。至于地，则本没有一个统一的地神——以方泽对圜丘，是晚出的概念，所以只有《周官》上有——在古代只有各祭其所利用的一片土地，所以最隆重的是社，而社会也是随着一个个农村而分立的。其最切近的为祖先，祖先不必说了，就是其余的神，也是限于一个很小的范围内的。这些神在氏族时代，则为一氏族内的人所崇拜，在部落时代，则为一部落的人所崇拜，彼此各不相干。在其部落以内，宗教师亦是一种分职，他所做的事情，虽无实益，却是人民对他有信仰心，并不嫌恶他。其实他自己亦不全是骗人的，多少总有些信以为真。他也无从分外榨取，至于氏族或部落以外，根本没有人信他，他更无从施展威权了。汉初的宗教还是如此，所以越巫、齐方士等各各独立。天子所祭的天神，虽然在诸神中取得最高的地位，然而诸侯尚且不许祭天，平民更不必说了。中国古代似乎贵族平民各有其所崇拜的对象，彼此各不相干，因此在上者要想借宗教之力以感化人民甚难，却也没有干涉人民的信仰，以致激变之事。列国间因本来怀抱著宗教是有地方性的观念，宗教信仰多包含在风俗习惯之中，君子行礼不求变俗，就是不干涉信仰的自由。所以彼此互不相干涉，亦没有争教的事。这实在是中国最合理的一件事，因为宗教总不过是生活的反映，各地方有各地方不同的生活，自然会产生不同的宗教，而亦正需要不同的宗教，硬要统一它做什么呢？老实说，就是勉强统一了，也只是一个名目，其内容还可以大不相同的。随著时代的变迁，从前各各分立的氏族或部落渐次统一而成一个大社会，社会既然扩大了，自然要有为全社会所共同信仰的大宗教，也自然会有为全社会所信仰的大宗教。这时代的大宗教，并不是单独发生，把从前的小宗教都消灭掉了的。乃是从前的旧宗教所变化发达而成。（一）把从前性质仅限于一部落一氏族的神扩大之而为全社会之神；（二）各地方所崇拜的神，有本来相同的，那自然不成问题；（三）否则亦可以牵强附会，硬把他算做一个；（四）其无须合并的，则建立一个系统，把他编制一下。如此许多分立的小宗教，就可以合并而成一大宗教了。这就是中国所谓道教。这种变化，大约在很早的时代，随著社会的变动,就逐渐进行的,至后汉末年,在社会上大显势力,至北魏太武帝时,寇谦之乃正式得到政府的承认。当两汉之间,佛教从印度输入中国,至后汉末年,也在社会上渐露头角。佛教的哲理,较之道教更为精深。——中国的学问,并不是不及印度,但专就哲理而论,却应该自愧弗如的,而宗教所需要的,却特别在这一方面。为什么呢?因为宗教倘使在政治社会方面多作正面的主张,就不免和政治发生冲突,和政治发生冲突,就要受到压迫了。佛教却在这一方面,有其特别优胜之点。它对于社会问题和政治问题,几于毫无主张,只是在现社会的秩序之下,努力于个人的解脱。如此,于政治问题,就觉其毫无关系,而多少还可以掩蔽现实,麻醉人民,而使之驰心于净土。如此在消极方面说,就可以不受政府的干涉,而多少还可受些保护。在积极方面,则因他主张轮回,替人把希望扩张到无限大,而又自有其高深的哲理,足以自圆其说,所以还能够得到王公贵人的提倡;在平民眼里,佛教、道教本来是无甚区别的,谁宣传得起劲些,谁被信仰的机会就多些。如此佛教因其(一)给与人的希望之大,(二)哲理的精深,能得士大夫的信仰,其宣传之力,就超出于道教以上,所以其流行也较道教为盛。从两汉到南北朝,在精神界既然发生了全国共信的大宗教,就形成下列诸问题。

其一,在佛教尚未大行、道教也未十分组织成功之时,政治和社会,都有很大的不安,而宗教在这时代,业已从地域的进而为全国的了，自然会有人想利用他造成一种政治上反抗的力量，所以前后的变乱，含有宗教成分的很多。道教的大师如张角、张鲁、孙恩等不必说了，就和尚也有躬为祸首的，因此引起政治上的焚烧谶纬，禁止传习天文。

其二，第一问题在中国的关系不能算大，而为政府所承认的宗教，亦发生下列二大问题，即（A）在物质方面，教徒既不耕而食，不织而衣，成为纯粹的分利分子，却还要消耗多大的布施，而且积蓄多了，便从事于兼并土地，役使奴仆，于经济的平均，很有妨害。（B）在精神方面，宗教麻醉的力量能使人离开现实，驰骛空虚，多少可以减少些反抗之力，缓和些怨恨之声，而且他多少要教人民以正直平和慈善，使社会增加几分安稳，这是政治上所希望的。所以历来也很有些儒者的议论，在这一方面承认二氏的功劳。但是宗教所教导的，断不能和政治上所要求的全然一致，而且和儒家传统的道德和伦理，不免有些不相容，而儒家却是在政治上积有权威的。因此之故，宗教问题在政治思想史上，也就有相当的关系了。

综括这一个时代，养的问题不能解决，教的问题亦觉得愚弱可怜，而严重的外患又相逼而来。稍加仔细观察，便觉得外患的成为问题，全是由于本国的社会病态太深之故，于是这一个时代的思想家，不期然而然的都触著了许多根本的问题。

第八讲　宋明的政治思想

第七讲中说：从宋到明的政治思想，触著了许多根本问题，这句话是怎么讲呢？关于这一点，我们可以自宋到明的井田封建论做代表。

井田封建，如何可行于后世？井田固然是一种平均分配的好方法，然（一）既成为后世的社会，是否但行井田，即能平均分配；（二）不将社会的他方面同时解决，井田是否能行。这都是很显明的疑问。至于封建，其为开倒车，自然更不必说了。宋元明的儒者，如何会想到这一著呢？关于这一点，我请诸位读一读顾亭林先生的《封建论》。原文颇长，今举其要点如下：

> 封建之废，非一日之故也，虽圣人起，亦将变而为郡县。方今郡县之敝已极，而无圣人出焉，尚一一仍其故事，此民生之所以日贫，中国之所以日弱，而益趋于乱也。何则？封建之失，其专在下；郡县之失，其专在上。改知县为五品官，正其名曰县令。必用千里以内，习其风土之人，任之终身。其老疾乞休者，

举子若弟代。不举子若弟,举他人者听。既代去,处其县为祭酒,禄之终身。每三四县若五六县为郡,郡设一太守,三年一代,诏遣御史巡方,一年一代。其督抚司道悉罢。令以下设一丞。丞以下曰簿,曰尉,曰博士,曰驿丞,曰司仓,曰游徼,曰啬夫之属,备设之。令有得罪于民者,小则流,大则杀。其称职者,既家于县,则除其本籍。居则为县宰,去则为流人;赏则为世官,罚则为斩绞。何谓称职?曰土地辟,田野治,树木蕃,沟洫修,城郭固,仓廪实,学校兴,盗贼屏,戎器完,而其大者,则人民乐业而已。夫使县令得私其百里之地,则县之人民,皆其子姓;县之土地,皆其田畴;县之城郭,皆其藩垣;县之仓廪,皆其囷箮。为子姓,则必爱之而勿伤;为田畴,则必治之而勿弃;为藩垣、囷箮,则必缮之而勿损。自令言之,私也;自天子言之,所求乎治天下者,如是焉止矣。一旦有不虞之变,必不如刘渊、石勒、王仙芝、黄巢之辈,横行千里,如入无人之境也;于是有效死勿去之守,于是有合从缔交之拒,非为天子也,为其私也;为其私,所以为天子也;故天下之私,天子之公也。

他的意思,只是痛于中国的日贫日弱,而思所以救之。而推求贫弱的根源,则以为由于庶事的废弛;庶事废弛的根源，他以为由于其专在上。所以说郡县之制已敝，而将复返于封建。

自宋至明——实在清朝讲宋学的人，也还有这一种意见——主张井田、封建的人很多。他们的议论虽不尽同，他们的办法亦不一致；然略其枝叶，而求其根本，以观其异中之同，则上文所述的话，可以算是他们意见的根本，为各家所同具。

他们的意见，可以说是有对有不对。怎说有对有不对呢？他们以为中国贫弱的根源，在于庶事的废弛，这是对的。以为庶事废弛的根源，是由于为政者之不能举其职，而为政者之不能举其职，是由于君主私心太重，要把天下的权都收归一己，因而在下的人，被其束缚而不能有为，这是错的。须知君主所以要把政治上的权柄，尽量收归自己，固不能说其没有私心，然亦自有其不得已的苦衷。在封建时代，和人民利害相反的是贵族，到郡县时代，和人民利害相反的是官僚，这话，在第五讲中，业经说过了，君主所处的地位，一方面固然代表其一人一家之私，如黄梨洲所云视天下为其私产；又一方面，则亦代表人民的公益，而代他们监督治者阶级。这一种监督，是于人民有利的。倘使没有，那就文官武将，竞起虐民，成为历代朝政不纲时的情形了。渴望而力求之，至于郡县之世而后实现的，正是这个。至于庶事的废弛，则其根据，由于征服阶级的得势，一跃而居于治者的地位。他们的阶级私利是寄生。为人民做事,力求其少,而剥削人民,则务求其多。此种性质,从贵族递嬗到官僚,而未之有改。所以大同时代社会内部相生相养良好合理的规则:(一)在积极方向,因治者阶级的懒惰而莫之能举。(二)在消极方面,因治者阶级的剥削而益见破坏。(三)而人民方面,则因其才且智者,皆羡治者阶级生活的优越,或则升入其中,或则与相结托,所剩的只有贫与弱。因而废弛的不能自举,被破坏的不能自保,仅靠君主代他们监督,使治者阶级,不能为更进一步的剥削,而保存此贫且弱的状况。除非被治者起而革命,若靠君主代为监督,其现状是只得如此的,不会再有进步的。因为君主是立于治者和被治者两阶级之间,而调和其矛盾的;他只能从事调和,而不能根本上偏袒那一阶级,所以只做得到这个样子。这话在第五讲中,业已说过了。所以说:他们以为贫弱的根源,在于庶事的废弛,这是对的。以为废弛的根源,在于君主,是不对的。天下眼光浅近的人多,治者阶级而脱离了君主的监督,那只有所做的事,更求其少,所得的利,更求其多,如何会勤勤恳恳,把所有的一块土地人民治好呢?若能有这一回事,封建政体,倒不会敝,而无庸改为郡县了。所以封建之论,的确是开倒车,虽然他们自以为并非开倒车,以为所主张的封建,和古代的封建有别。然而幸而没有实行,倘使实行起来,非酿成大乱不可。他们有这一种思想,也无怪其然,因为人是凭空想不出法子的,要想出一种法子来,总得有所依傍。我们今日,为什么除掉专制、君宪、共和、党治之外,想不出什么新法子来呢?只因其无所依傍。然他们当日,陈列于眼前的政体,只有封建、郡县两种。郡县之制,他们既认为已敝而不可用,要他们想个法子,他们安得不走上封建的一条路呢?他们这种主张,如其要彻底实行,则竟是一种革命,自然是时势所不许,然就部分而论,则不能说他们没有实行。所谓部分的实行,并不是说他们曾有机会试行封建,亦不是说他们曾经大规模试办过井田。然而辟土地,治田野,蕃树木,修沟洫,固城郭,实仓廪,兴学校,屏盗贼,完成器,总而言之,是反废弛而为修举,则不能说他们没有部分的实行过,他们做封疆大吏、地方长官及绅士的,对于这许多事情,都曾尽力实行。他们并知道治化的良否,不尽系于政治,而亦由于社会,所以凡有关风俗之事,如冠、婚、丧、祭之礼等,都曾研究、讨论,定有规制,尽力提倡,示范实行。在这方面有功劳的,尤其是关学一派。他们这种举动,并不能说没有功劳,在今日宋明理学衰落之世,我们若留心观察,则见社会上还有许多地方自治的遗迹,或者自相约束扶助的规则,还都是这一个时代的儒者研究、制定、提倡、示范的功劳。改进社会,原有急进和渐进两种手段:前者是革命行为,把旧的都破坏了,然后徐图建设。后者是进化派的学者所主张的,在旧秩序之下,将新的事业,逐渐建设起来,达到相当的时机,然后把旧的障碍物一举除去。

浅人每以二者为相反，其实是相成的。该取何种手段，只看特定社会的形势。而取了革命手段，进化派的事业，还是要补做的。我们所以要革命，只因旧的势力，障碍得太厉害了，不将他推翻，一切新的事业，都不容我们做，所以不得不把他先行打倒；然而打倒他，只是消极的举动，既把旧势力打倒之后，新事业自然要逐渐举办的。如其不行，则从前的革命，就变做无意识的举动了。至于进化派，并不是不要打倒旧势力，只是手段上以先建设新的，后打倒旧的为适宜。所以革命正所以助进化，进化的目的，正在于革命，二者是相需而成的。每革命一次，旧势力总要被破坏一些；每建设一事，新势力总要增长一些。浅人徒见革命之后，旧势力依然回复，便以为这一次的革命是徒劳；建设一事，不久旋即废坠，便以为此举是毫无效果，这真是浅人之见。中国的社会，将来总是要大改革的，要改革，总是要反废弛而为修举的。从有宋以来，理学家研究、制定、提倡、示范的举动，实在替社会播下一个改革的种子，所以说，不能算他们无功。

在宋朝，既有这种大改革的见解，自然有人要想凭藉政治之力来实行；而在旧时政治机构之下，要想借政治的力量来实行改革，自然免不了弊窦。这话，在第六讲中，亦业已说过。当这时代，自然有如第二讲所说，偏于痛恶现状之坏，而不措意于因改革而致弊的人；也有专注重于改革之难，而不肯轻言改革的人；其结果，就形成熙宁时的新旧党。从来论党的人,每将汉朝的甘陵,唐朝的牛李,和宋朝的新旧党,并为一谈,这是大错。汉朝的甘陵,只是一班轻侠自喜、依草附木之徒,再加以奔走运动,营求出身,以及有财有势,标榜声华之士,以致闹成党锢之祸;唐朝的牛、李,只是官僚相排挤,哪里说得上政见?宋朝的新旧党,却是堂堂正正,各有其政见的。固然新旧党中,各有坏人;新旧党互相排挤报复,也各有不正当的手段;然而不害其为有政见。他们对于多种政治问题,都有不同的见解;而其见解,都是新党代表我所谓进化派,旧党代表我所谓保守派的。旧时的议论,都左袒旧党;现在的议论,则又左袒新党;其实二者是各有长短的。新党的所长,在于看透社会之有病而当改革,而且有改革的方案;而其所短,则在于徒见改革之利,而不措意于因改革所生之弊。旧党攻击因改革所生之弊,是矣,然而只是对人攻击,而自己绝无正面的主张,然则当时的政治是好了,不需改革了么?明知其不好,亦只得听其自然了么?我们倘使提出这个问题来,旧党亦将无以为对。所以我说他们是各有长短的。我对于他们的批评则如次:

　　国家和社会的利害,不是全然一致的,又不是截然分离的。因为国家的内部,有阶级的对立;凡国家的举动,总是代表治者阶级,压迫被治阶级的;所以国家和包含于国家中的人,利害总不能一致。然而在或种情形之下,则国家和全体社会的利害,是一致的;尤其是在对外的时候。

因为别一个国家，侵入或加压迫于这一个国家，则最大多数的国民，必同蒙其不利。所以当这时候，国民应当和国家协力以对外。国家所要求于国民，不都是正当的——如为治者阶级的利益的时候——但因对外之故，而对于国民有所要求，则为合理。因为这是为着国民全体——至少是最大多数的利益。然而在实际，则其所要求，仍宜有一个限度。这不是道理上应该不应该的问题，而是手段上适宜不适宜的问题。因为国家有所求于国民，其事必须办得好；如其办不好，则是国民白受牺牲，国家亦无益处了。国家所恃以办事的是官僚。官僚在监督不及之处，是要求自利的。官僚的自利，而达到目的，则上无益于国，而下有损于民的。固然，官僚阶级中也有好人；而一国中监督官僚的人，其利害也总是和国与民相一致的；然而这总只是少数。所以国家所办的事，宜定一最大限度，不得超过；而这最大限度的设定，则以（一）必要，（二）监督所能及，不至非徒无益，反生他害为限。熙宁时新党之弊，在于所定的限度太大，而旧党之弊，则又在于所定的限度太小；二者皆不得其中，即皆不适当。

试举一实事为例：在北宋时，北有辽，西有夏，民族竞争，形势极为严重，自然不能无兵。宋朝是养兵百万而不可以一战的。募兵的制度，达于极弊。王安石主张用民兵，自然也有其极大的理由。但是实际如何呢？我们试看《宋史·兵志》所载反对方面的话。司马光说：

兵出民间，虽云古法，然古者……自两司马以上，皆选贤士大夫为之，无侵渔之患，故卒乘辑睦，动则有功。今……保长以泥棚除草为名，聚之教场，得赂则纵，否则留之。……又巡检指使，按行乡村，往来如织。保正保长，依倚弄权，坐索供给，多责赂遗，小不副意，妄加鞭挞，蚕食行伍，不知纪极。中下之民，罄家所有，侵肌削骨，无以供亿。愁苦困弊，靡所投诉。流移四方，襁属盈路。又朝廷时遣使者，遍行按阅，所至犒设赏赉，糜费金帛，以巨万计。此皆鞭挞下民，铢两丈尺而敛之，一旦用之如粪土。

王岩叟说：

保甲之害。三路之民，如在汤火。未必皆法之弊。盖由提举一司，上下官吏，逼之使然。……朝廷知教民以为兵，而不知教之太苛而民不能堪；知别为一司以总之，而不知扰之太烦而民以生怨。教之欲以为用也，而使之至于怨，则恐一日用之，有不能如吾意者，不可不思也。民之言曰：教法之难，不足以为苦，而羁縻之虐有甚焉；羁縻不足以为苦，而鞭笞之酷有甚焉；鞭笞不足以为苦，而诛求之无已有甚焉。方耕方耘而罢，方干方营而去，此羁縻之所以为苦也；其教也，保长得笞之，保正又笞之，巡检之指使，与巡检者又交挞之，提举司之指使，与提举使之干当公事者，又互鞭之，提举之官又鞭之。一有逃避，县令又鞭之。人无聊生，恨不得死，此鞭笞之所以为苦也。创袍市中……之类，其名百出。故父老之谚曰："儿曹空手，不可以入教场。"非虚语也。都副两保正，大小两保长，平居于家，婚姻丧葬之问遗，秋成夏熟，丝麻谷麦之要求，遇于城市饮食之责望，此迫于势而不敢不致者也。一不如意，即以艺不如法为名，而捶辱之无所不至。又所谓巡检指使者，多由此徒以出，贪而冒法，不顾后祸，有逾于保正保长者。此诛求之所以为甚苦也。又有逐养子，出赘婿，再嫁其母，兄弟析居，以求免者；有毒其目，断其指，炙其肌肤，以自残废而求免者；有尽室以逃而不归者；有委老弱丁家，而保丁自逃者。保丁者逃，则法当督其家出赏钱十千以募之。使其家有所出，当未至于逃，至于逃，则其穷困可知，而督取十千，何可以得？故每县常有数十百家老弱，嗟咨于道路，哀诉于公庭。……又保丁之外，平民凡有一马，皆令借供逐场教骑，终日驰骤。往往饥羸，以至于毙。谁复敢言？其或主家，倘因他出，一误借供，遂有追呼笞责之害。或因官逋督迫，不得已而易之，则有抑令还取之苦。故人人以有马为祸。此皆提举官吏，倚法以生事，重为百姓之扰者也。

……臣观保甲一司,上下官吏,无毫发爱百姓意。故百姓视其官司,不啻虎狼,积愤衔怨,人人所同。比者保丁执指使,逐巡检,攻提举司干当官,大狱相继,今犹未已……安知其发不有甚于此者?

这许多话,我们决不能因同情新党而指为子虚。王安石所行之法,无一不意在福国利民,而当时旧党,皆出死力反对,其原因就在于此。举此一事,其余可以类推。然则新法都行不得?都只好不行么?司马光《疏》中又说:"彼远方之民,以骑射为业,以攻战为俗,自幼及长,更无他务。中国之民,大半服田力穑,虽复授以兵械,教之击刺;在教场之中,坐作进退,有以严整;必若使之与敌人相遇,填然鼓之,鸣镝始交,其奔北溃败,可以前料,决无疑也。"梁任公作《王荆公传》,说:如此,则"只好以臣妾于北虏为天职。此言也,虽对于国民而科以大不敬之罪可也"。这话以理言之,固然不错,然感情终不能变更事实,我们就不该因感情而抹杀事实。司马光的话,说不是当时的事实,也是断乎不能的。然则如之何而可呢?我说:中国不能如北狄之举国皆兵,这是事实;不能为讳,而亦不必为讳。因为我们的社会,进化了,复杂了,当然不能像他们这样举国一律,所以不足为辱。而且以中国之大,要抵御北狄,也用不到举国皆兵——两民族的争斗,并不限于兵争。文化经济等各方面,都是一种竞争。我们的社会复杂了,可以从各方面压伏北狄,就是我们从多方面动员攻击。——所以不足为忧。固然兵争是两国竞争时一种必要的手段,不可或缺。中国人固然不能如北狄之举国皆兵,然而以兵力抵抗北狄,亦自有其必要的限度。以中国之大,说在这一个限度以内的兵,而亦练不出,亦是决无此理的。须知社会进化了,则各阶级的气质不同。其中固然有不适宜于当兵的人,而亦必有一部分极适宜于当兵之人。然则以中国之大,并不是造不出强兵来,不过造之要得其法罢了。造之之法如何呢?我们看司马光说:

臣愚以为悉罢保甲使归农;召提举官还朝。量逐县户口,每五十户,置弓手一人。……募本县乡村户有勇力武艺者投充。……若一人缺额,有二人以上争投者,即委本县令尉,选武艺高强者充。或武艺衰退者,许他人指名与之比较。若武艺胜于旧者,即令充替。……如此,则不必教阅,武艺自然精熟。

王岩叟又说:

一月之间,并教三日,不若一岁之中,并教一月……起教则与正长论阶级,罢教则与正长不相谁何。

再看《旧唐书·李抱真传》:

为怀、泽、潞观察使留后。……抱真密揣山东当有变，上党且当兵冲。是时乘战余之地，土瘠赋重，人益困，无以养军士。籍户丁男，三选其一。有材力者，免其租徭，给弓矢，令之曰："农之隙，则分曹角射；岁终，吾当会试。"及期，按簿而征之。都试以示赏罚，复命之如初。比三年，则皆善射。抱真曰：军可用矣。于是举部内乡，得成卒二万。前既不廪费，府库益实，乃缮甲兵为战具，遂雄视山东。是时天下称昭义步兵冠诸军。

抱真的得力，就在乎仅令其分曹角射，而并不派什么提举巡检等等去检阅；亦不立正长等等名目，使其本来同等者，忽而生出等级来，所以没有宋朝保甲之弊，而坐收其利。然则王岩叟要人民和正长不相谁何，实在是保甲的要义；而司马光说不必教阅，武艺自然精熟，亦非欺人之谈了。有一位律师先生，曾对我说："我们当律师的人，是依据法律而绑票。"——实在就是借法律做护符而绑票。当阶级对立之世，谁不想绑票？只是苦于没有护符罢了，如何好多立名目，大发护符呢？王安石作《度支副使厅壁题名记》时曾说：

夫合天下之众者财，理天下之财者法，守天下之

> 法者吏也。吏不良，则有法而莫守，法不善，则有财而莫理，有财而莫理，则阡陌间巷之贱人，皆能私取予之势，擅万物之利，以与人主争黔首，而放其无穷之欲，非必贵强桀大，而后能如是，而天子犹为不失其民者，盖特号而已耳；虽欲食蔬衣敝，憔悴其身，愁思其心，以幸天下之给足而安吾政，吾知其犹不得也。然则善吾法而择吏以守之，以理天下之财，虽上古尧舜，犹不能毋以此为先急，而况于后世之纷纷乎？

他所谓阡陌间巷的贱人，就是土豪和有商业资本的人。他深知他们是与平民处于对立的地位的，彼此利害不相容，非有以打倒之不可。然所恃以打倒他们的却是吏，吏也是和人民处于对立的地位的，其利害，也是彼此不相容。固然，现在政治上不能不用吏，然而吏是离不开监督的，一离开监督，就出毛病。所以政治家最要的任务是：自量其监督之力所能及。在此范围之内，则积极进行，出此范围以外，则束手不办。王安石之徒所以失败，就由于不知此义。我曾说：王安石的失败，是由于规模太大，倘使他专以富国强兵为目的，而将一切关涉社会的政策，搁置不办；或虽办而缩至相当的限度，则（一）所办之事，实效易见；（二）流弊难生；（三）不致引起他人的反对，而阻力可以减少；必可有相当的成功。如此，对于辽夏，或可以一振国威，而靖康之祸，且可以不作，所以我们目光不可不远，志愿不可不大,而脚步不可不着实,手段不可不谨慎,凡政治家,都该知此义。

中国之贫且弱,并非由于物质的不足,而全是一个社会组织不善,和人民未经训练的问题。这种思想,是宋人所通有的,不过有人魄力大,要想实行;有人魄力小,就止于发议论;而其言之又有彻底和不彻底罢了。譬如苏轼,是王安石的反对党,然而他对制科策说,要取灵武:

> 则莫若捐秦以委之。使秦人断然,如战国之世,不待中国之援,而中国亦若未始有秦者……则夏人举矣。

当时宋以全国之力,不能克西夏,而苏轼反欲以一秦当之,岂不可怪?然而一地方的实力,并非不足用,不过不善用之,所以发挥不出来罢了。当南宋之世,贺州的林勋,曾献一种《本政书》。他又有《比较书》二篇。《比较书》说:

> 桂州地东西六百里,南北五百里,以古尺计之,为方百里之国四十。当垦田二百二十五万二千八百顷;有田夫二百四万八千;出米二十四万八千斛;禄卿大夫以下四千人;禄兵三十万人。今桂州垦田约万四十二顷;丁二十一万六千六百一十五;税钱万五千余缗;

苗米五万二百斛有奇；州县官不满百员；官兵五千一百人。

他所说古代田亩人口收入支出之数，固然不免夸大——因为古书本是计算之辞，并不是事实。所说当时垦田丁口之数，亦非实际的情形——因为必有隐匿。然而今古的相悬，要不能不认事实。如此，则后世的人民，富厚快乐，必且数十百倍于古了，然亦未见其然。然则上所不取之财，到哪里去了呢？这自然另有剥削的人，取得去了。——官和兵的数目虽减，要人民养活的人，其实并没有减。然则社会的贫穷，实在是组织不善之故。以此推之，其弱，自然也是训练之不得其法了。照他的《本政书》说：苟能实行他的计划，则民凡三十五年而役使一遍；而租税的收入，则十年之后，民之口算，官之酒酤，与凡茶、盐、香、矾之榷，皆可弛以予民。如欲以一秦之力，独取西夏，自非有类乎这一种的组织不可，不过苏轼不曾详立计划罢了。所以一时代中的人物，其思想，总是相像的；有时候看似不同，而实际上仍有其共通之点。

讲到教化问题，宋朝人也有其触著根本的见解。我们于此，请以欧阳修的《本论》为代表。《本论》说：

佛法为中国患千余岁，世之卓然不惑而有力者，莫不欲去之；已尝去矣，而复大集；攻之暂破而愈坚，扑之未灭而愈炽，遂至于无可奈何。是果不可去邪？盖亦未知其方也。夫医者之于疾也，必推其病之所自来，而治其受病之处。病之中人，乘乎气虚而入焉。则善医者不攻其疾，而务养其气，气实则病去，此自然之效也。……佛为夷狄，去中国最远，而有佛固已久矣。尧舜三代之际，王政修明；礼义之教，充于天下；于此之明，虽有佛无由而入。及三代衰，王政阙，礼义废，后二百余年，而佛至乎中国。由是言之，佛所以为吾患者，乘其阙废之时而来，此其受患之本也。……昔尧舜三代之为政，设为井田之法，藉天下之人，计其口而皆授之田。……使天下之人，力皆尽于南亩，而不暇乎其他。然又惧其劳且息而入于邪僻也……于其不耕休力之时，而教之以礼。……饰之物采而文焉，所以悦之，使其易趣也；顺其情性而节焉，所以防之，使其不过也。然犹惧其未也，又为立学以讲明之。……其虑民之意甚精，治民之具甚备，防民之术甚周，诱民之道其笃。……耳闻目见，无非仁义；乐而趣之，不知其倦；终身不见异物，又奚暇夫外慕哉？……及周之衰，秦并天下，尽去三代之法，而王道中绝，后之有天下者，不能勉强，其为治之具不备，防民之渐不周；佛于此时，垂乘而出，千有余岁之间，佛之来者日益众，吾之所为者日益坏。井田最先废，而兼并游惰之奸起。其后……教民之具，相次而尽废，然后民之奸者,有暇而为他,其良者,泯然不见礼义之及已。……佛于此时,乘其隙,方鼓其雄诞之说而牵之,则民不得不从而归矣。

此篇对于史事的观察,未必正确,然宗教的根源,乃是社会的缺陷,则其说确有至理。现在请引我所作的《大同释义》一段:

宗教果足以维持民心,扶翼民德,使之风淳俗美,渐臻上理邪?宗教者,社会既缺陷后之物,聊以安慰人心,如酒之可以忘忧云尔。宋儒论佛教,谓其能行于中国,乃由中国礼义之教已衰,故佛得乘虚而入;亦由制民之产之法已斁,民无以为生,不得不托于二氏以自养。斯言也世之人久目为迂阔之论矣,然以论宗教之所由行,实深有理致,不徒可以论佛教也。世莫不知宗教为安慰人心之物,夫必其心先有不安,乃须有物焉以安慰之,此无可疑者也。人心之不安,果何自来哉?野蛮之民,知识浅陋,日月之运行,寒暑之迭代,风雨之调顺与失常,河川之安流与泛滥,皆足以为利为害,而又莫知其所以然,则以为皆有神焉以司之,乃从而祈之,而报之,故斯时之迷信,可谓由对物而起。人智既进,力亦增大,于自然之力,知所以御之矣;知祈之之无益,而亦无所事于报矣;此等迷信，应即消除，然宗教仍不能废者，何也？则社会之缺陷为之也。"出师未捷身先死，长使英雄泪满襟"，但恨在世时，饮酒不得足；无论其为大为小，为公为私，而皆有一缺陷随乎其后，人孰能无所求？憾享用之不足，则有托生富贵之家等思想焉；含冤愤而莫伸，则有为厉鬼以报怨等思想焉。凡若此者，悉数难终，而要皆社会缺陷之所致，则无疑也。人之所欲，莫甚于生，所恶莫甚于死，缺憾不能以人力弥补者，亦莫如生死；故佛家谓生死事大，无常迅速，借此以畏怖人。天国净土诸说，亦无非延长人之生命，使有所畏，有所歆耳。然死果人之所畏邪？求生为人欲之一，而人之有欲，根于生理。少之时，血气未定，戒之在色，及其壮也，血气方刚，戒之在斗；及其老也，血气既衰，则皆无是戒焉。然则血气渐灭而至于死，亦如倦者之得息，劳者之知归耳，又何留恋之有？《唐书·党项传》谓其俗，老而死，子孙不哭，少死以为夭枉，乃悲。此等风俗，在自命为文明之人，必且诮其薄，而不知正由彼之社会，未甚失常，生时无甚遗憾，故死亦不觉其可悲也。龟长蛇短，人寿之修短，固不系其岁月之久暂，而视其心事之了与未了；心事苟百未了一，虽逮大齐，犹为夭折也，曷怪其眷恋不舍？又曷怪旁观者之悲恸哉？夫人之所欲，莫甚于生，所恶莫甚于死，不能以人力弥补者，亦莫如生死，然其为社会之所为，而非天然之缺憾犹如此，然则宗教之根柢，得不谓为社会之缺陷邪？儒者论郅治之极，止于养生送死无憾，而不云死后有天堂可升，净土可入，论者或讥其教义不备，不足以普接利钝，而恶知夫生而有欲，死则无之，天堂净土，本非人之所愿欲邪？故曰宋儒论佛教之言，移以论一切宗教，深有理致也。

又一段说：

孔子果圣人乎？较诸佛、回、耶诸教主，亚里斯多德、柏拉图、康德诸大哲如何？此至难言也。吾以为但论一人，殆无从比较。若以全社会之文化论，则中国确有较欧洲、印度为高者。欧、印先哲之论，非不精深微妙，然或太玄远而不切于人生；又其所根据者，多为人之心理，而人之心理，则多在一定境界中造成，境界非一成不变者，苟举社会组织而丕变之，则前此哲学家所据以研求，宗教家所力求改革者，其物已消灭无余矣，复何事研求？孰与变革邪？人之所不可变革者何事乎？曰：人之生，不能无以为养；又生者不能无死，死者长已矣，而生者不可无以送之；故"养生送死"四字，为人所必不能免，余皆可有可无，视时与地而异有用与否焉者也。然则惟"养生送死无憾"六字，为真实不欺有益之语，其他皆聊以治一时之病者耳。今人率言：人制驭天然之力太弱，则无以养其生，而人与人之关系，亦不能善。故自然科学之猛晋，实为人类之福音。斯言固然，然自然科学，非孤立于社会之外，或进或退，与社会无干系者也。社会固随科学之发明而变，科学亦随社会之情形，以为进退。究之为人之利与害者，人最切而物实次之。人与人之关系，果能改善，固不虑其对物之关系不进步也。中国之文化，视人对人之关系为首要，而视人对物之关系次之，实实落落，以"养生送死无憾"六字为言治最高之境；而不以天国、净土等无可征验之说诳惑人。以解决社会问题，为解决人生问题之方法，而不偏重于个人之修养。此即其真实不欺，切实可行，胜于他国文化之处；盖文化必有其根源，中国文化，以古大同之世为其根源，故能美善如此也。

看这两段，就可知宋儒的论宗教，确能触及根本问题了。

宋儒的政治思想，还有一点，很可注意的，就是彻底。其彻底，一见之于王霸之辨，一见之于君子小人之辨。

王霸之辨，就是一系根本之计，一止求目前见功。根本之计，是有利无弊的。只求目前见功，则在这一方面见为利，在别一方面即见为害。或者虽可解决一时的问题，而他日的遗患，即已隐伏。譬如训练人民，使能和别国竞争，这是好的，然亦可隐伏他日之患。从前明朝倭寇滋扰时，福建沿海人民，有一部分，颇能自相团结，以御外侮。这自然是好的。但是到后来，外侮没有了，而（一）习于战斗之民，其性质业已桀骜不驯；（二）社会上有种种不妥洽的问题；（三）人民的生计，又不能解决；于是械斗之风大盛，且有专以帮人械斗为业的。因这一班人的挑唆鼓动，而械斗之风更甚。我说这话，并非说外侮之来，无庸训练人民，以从事于斗争。外国人打得来，我们岂能不和他打？要和他打，如何能不训练人民呢？但是人民固须训练之，以求其武勇，而（一）因此而发生的别种弊害，亦须在可能范围内，设法减免。（二）且其提倡，只可以必要之度为限，否则徒为将来"转手"时之累。——须知什么事，都不能但论性质，而要兼论分量。且性质和分量，原是一事。譬如服药，若超过适宜的分量，其所刺激起的生理作用，就和用适宜的分量时，大不相同了。这本是很明白的道理。但（甲）天下人，轻躁的居多，精神专注在一方面，就把别一方面，都抛开了。（乙）又有一种功名心盛的人，明知如此，而亦愿牺牲了别一方面，以求眼前之速成。（丙）再有一种谄佞之徒，明知其然，而为保持饭碗，或贪求富贵起见，不恤依附急功近名之士。于是不顾其后的举动就多，而隐患就潜伏著了。天下事件件要从根本上着手，原是事势所不许，"急则治标"，"两利相较取其重，两害相较取其轻",原是任何人所不能免。但在知道标本之别,又无急功近名之心的人做起来,则当其致力一事之时,即存不肯超过限度之念;或者豫为他日转手之计。如是,则各方面都不虞偏重,祸根好少植许多了。所以立心不同的人,其所做的事,虽看似相同,而实有其大不同者在,所谓"共行只是人间路,得失谁知霄壤分"也,宋儒所以注重于王霸之辨,其原因就在于此。

有一种人,用他去办事,是弊上加弊,另一种人,用他去办事,则是维持现状,不致更坏,前面已经说过了。最好的自然是去弊加利。但才德兼全的人,很是少见,如其不然,则与其用弊上加弊的小人,毋宁用维持现状的君子。这种得失,是显而易见的。但是世人往往喜用小人,这是为什么呢?明知其恶,专为其便辟侧媚而用之的,就不必说了;误以其为好人而用之的人,其心原是大公无私的;误以为用了小人,能够弊少利多;殊不知小人全是行虚作假。假,本身就是弊。所以用了小人,能够使主持政治的人,全不知道政局的真相,大祸已在目前,还以为绝无问题,甚或以为大福将至。小人之所以能够蒙蔽,全在一个"忍"字,明知共事之有害,而为一己之功名富贵起见,则能够忍而为之。而作伪以欺其上,则于心能安。种种作伪的情形,固不能欺在下的人,而彼亦恬然不以为耻。人是监督不尽的。随事而监督之,势将劳而不可遍,所以用人必当慎辨其心术。

这两端,是世所目为迂阔的,然而在行政上,实有很大的参考价值。

凡事从根本上做起,既为事实所不许,则应付一时一事之术,大势亦不能不讲,这是所谓政治手腕。天下的体段太大了,一定要从根本上做起,深恐能发而不能收,倒还不如因任自然,小小补苴的好。这两种思想,前一种近于术家,后一种却近于道家了。宋朝的蜀学,就是这种性质。老苏和早年的大苏,是前一种思想,大苏到晚年,就渐近于后一种思想了。此种思想,历代都有,蜀学在宋朝,也不算时代的特色;所以今不深论。

宋、元、明三朝的思想,都是发源于宋朝的,其规模,也都是成立于宋朝的;元、明只是袭其余绪罢了。政治思想到明末,却有一种特色,那就是君主和国家的区别,渐渐明白。这是时势之所迫。一、因为明代的君主,实在太昏愚了,朝政实在太紊乱了。看够了这种情况,自然使人觉悟君主之为物,是无可希望的;要澄清政治之源,自非将君主制度打倒不可;二、又宋、元两朝,中国备受异民族的压迫,明朝虽得恢复,然及末年,眼看建州女真又要打进来了。被异民族征服,和自己国内王朝的起仆,不是一件事,也是显而易见的。因此,也能使人知道王朝和国家的区别,且能使人觉悟几分民族主义。这两者,前者是黄梨洲《原君》《原臣》之论。后者是顾亭林有亡国——今之王朝——有亡天下——今之国家——之说。现在人人知之,今亦不及。

第九讲　清中叶前的政治思想

　　清朝入关以后，政治思想，可以说是消沉的时期。这（一）因异族压制，不敢开口。（二）则宋明的学风，流行数百年，方向有些改变了。学者对于（A）国家、（B）社会、（C）个人修养的问题，都有些厌倦，而尽力于事实的考据。考据是比较缺乏思想的——固然，考据家亦自有其思想，但容易限于局部，而不能通观全体。而且清朝人所讲的考据，其材料是偏于古代的，所以对于当时的问题，比较不感兴趣——如此，政治思想，自然要消沉了。

　　静止的物体，不加之以外力，固然不会动，但是苟加之以外力，外力而苟然达到相当的程度，也没有终于不动的。西力东侵，是中国未曾有的大变局。受了这种刺激，自然是不会不动的。所以近代政治思想的发皇，实在我们感觉著外力压迫之后。

　　感觉到外力压迫之后，我们的政治思想，应该怎样呢？照现在的人想起来，自然很为简单，只要舍己之短，效人之长就是了。但是天下事没有如此简单。须知西力东侵，是从古未有的变局，既然是从古未有的变局，我们感觉它，了解它，自然要相当的时间。须知凡事内因更重于外缘。同一外力，加于两个不同的物体，其所起的反应就不同，这就显得内在的力量，更较外来的为重要。所以我们在近代，遭遇了一个从古未有的变局，而使我们发生种种反应。当这种情形之下，为什么发生如此样子的反应呢？这一个问题，我们是要将内在的情形，详加探讨，然后才能作答。我们内在的情形，却是怎样呢？

第一，中国因（A）地大，（B）人多，（C）交通不便，（D）各地方风气不同，（E）社会的情形也很复杂，中央政府控制的力量有限；而行政是依赖官僚，官僚是无人监督就要作弊的；与其率作兴事，多给他以舞弊的机会，还不如将所办的事，减至最小限度的好。这是事实如此，不能不承认的。所以当中国的政治，在理论上，是只能行放任主义的；而在事实上，却亦以放任主义为常，干涉主义为变。——变态就是病态，人害了病，总是觉得蹙然不安，要想回复到健康状态的，虽然其所谓健康状态的，或者实在是病态。但是彼既认为健康状态，觉得居之而安，就虽有治病之方，转将以为厉己了。从来行干涉主义的，每为社会所厌苦，务求破坏之，回复到旧状以为快，就是这个道理。事实上，中国是只能行放任主义的，但在人们的思想上，则大不其然。中国思想的中心，是儒家的经典，所称颂的，是封建制度完整时代。此时代的特色，是（甲）大同时代社会良好的规制，尚未尽破坏，（乙）而君主的权力也较大。人民受儒家经典的暗示，总觉得社会应该有一个相生相养、各得其宜、使民养生送死无憾的黄金时代，而此种时代，又可借政治之力以达之，所以无形之中，所责望于政府者甚深。以上所述，是老死牖下，和实际政治无甚接触，而观察力也不甚锐敏的读书人。若其不然，则其人又容易受法家的暗示。法家所取的途径，虽和儒家不同。但其所责望于君主者也大，所以有实际经验，或观察力极锐敏的政治家，对于政府的责望，也总超过其实际所能的限度。

第二，在实际上，君主专制，是行之数千年了，但在理论上，则从来没有承认君主可以专制。其在古代，本来是臣有效忠于君的义务，而民没有的。反之，如儒家所提倡"民为贵，社稷次之，君为轻"等理论，则君反有效忠于民的义务。此等思想，虽然因被治阶级之无能力，而无法使之实现，但在理论上，是从来没有被破坏过的。试看从来的治者阶级，实际虽行着虐民的事，然在口头，从来不敢承认虐民，不但不敢承认虐民，还要装出一个爱民的幌子，便可知道。立君所以为民，这种思想，既极普遍，然则为民而苟以不立君为宜，君主制度，自然可以废除。这只是理论上当然的结论。从前所以不敢说废除君主，只是狃于旧习，以为国不可一日无君，无君便要大乱；因为国不可一日无治，既要有政治，即非建立君主不可。——现在既然看见人家没有君主，也可以致治，而且其政治还较我们为良好，那么，废除君主的思想，自然要勃然而兴了。两间之物，越是被人看得无关紧要的，越没有危险。越是被人看得重要的，其危险性越大。中国的君主，在事实上是负不了什么责任的，然在理论上，则被视为最能负责任、最该负责任的人，一切事情不妥，都要归咎于他。这样的一个东西，当内忧外患纷至沓来之时，其危险性自然很大。

第三，中国人是向来没有国家观念的。中国人对所谓国家和天下，并无明确的分别。中国人最大的目的是平天下。这固然从来没有能做到，然而从来也没有能将国家和天下，定出一个明确的界限来，说我先把国家治好了，然后进而平天下。质而言之，则中国人看治国和平天下，并不是一件极大极难的事，要在长期间逐步努力进行，先达到一件，然后徐图其他的——若以为难，则治国之难，亦和平天下相去无几。总而言之，没有认为平天下比治国更难的观念。因为国就是天下，所以治国的责任，几于要到天下平而后可以算终了。这种观念，也是很普遍的。世界上有哪一种人，哪一块地方，可以排斥于我们的国家以外，（A）我们对于他，可以不负责任，（B）我们要消灭他们以为快，这种思想，中国人是向来没有的。中国人总愿意与天下之人，同进于大道，同臻于乐利。有什么办法，可以使天下的人，同进于大道，同臻于乐利，中国人总欣然接受。

第四，确实，在从前也没有一个真正可称为国家的团体，和中国对立。但是和中国对立的团体，就真个没有了么？这个自然也不是的。这个对立的团体，却是什么呢？那与其说是国家，无宁说是民族。本来国家是一个自卫的团体。我们为什么不和他们合一，而要分张角立，各结一团体，以谋自卫呢？这个自然也有其原因。原因最大的是什么？自然要说是文化，文化就是民族的成因了。中国所谓平天下，就是要把各个不同的民族同化之，使之俱进于大道。——因为中国人认自己的文化是最优的——所以和别个民族，分争角立，是中国人所没有的思想。但在事实上，（A）他们肯和我们同化，自然是最好的。（B）如其不能，而彼此各率其性，各过各的安稳日子，那也不必说他。（C）他要来侵犯我们，那就有些不可恕了。（D）他竟要征服我们，那就更其不可恕了。理论上，中国人虽愿与天下各民族，共进于大道，但在事实上则未能。不但未能，而且还屡受异民族的迫害，甚而至于被其所征服。这自然也有激起我们反抗思想的可能，虽然如此，中国人却也没有因异民族的迫害，而放弃其世界大同的思想。中国人和人家分争角立，只是以人家欲加迫害于我时为限。如其不然，中国人仍愿与世界上人，共进于大道，共臻于乐利；压服他人，胺削他人，甚而至于消灭他人的思想，中国人是迄今没有的。

由第一，所以有开明专制的思想，这是变法维新的根源。由第二,所以民主的思想,易于灌输。由第三,所以中国人容易接受社会主义。由第四,所以民族主义,渐次发生。

这是近代政治思想的背景。

第十讲　近代的政治思想

近来讲中国思想的人,往往把明、清间一班大儒,如顾亭林、黄梨洲、王船山等,算入清儒之列。其实这一班人,以学术思想论,决然该算入宋、明时代的一个段落中。虽然他们也懂得考据,然而考据毕竟和人的思想无关;况且他们的考据,也多带主观的色彩,算不得纯正的考据。宋、明的学风衰息,而另开出一种清代的学风,一定要到乾、嘉时代的考据,然后可以入数。而这时代的人,却是比较的缺乏思想的。不但说不到政治上的根本问题,对于政治,也比较的不感兴趣,所以我说,清代是政治思想消沉的时期。

但是乾隆中叶以后,朝政不肃,吏治败坏,表面看似富强,实则民穷财尽,岌岌不可终日的情形,已经完全暴露。深识远见之士,每多引为深忧。到嘉庆之世,教匪起于西北,艇盗扰于东南,五口通商之役,霹雳一声,《南京条约》,竟是城下之盟,更其不必说了。所以到此时代,而政治思想,遂逐渐发皇。

这时代的政治思想,我们可以举一个最大的思想家做代表,那便是龚自珍。他的思想,最重要之点有二:(一)

他知道经济上的不平等,即人们的互相剥削——经济上的剥削,是致乱的根源。他卓绝的思想,见之于其大著《平均篇》。本来以民穷财尽为致乱的根源,历代的政治家多有此思想。但是龚氏有与他人截然不同的一点。他人所谓贫,只是物质上的不足,而龚氏却看穿其为心理上的不平。历代承平数世之后,经济上总要蹙然感觉其不足。在他人,总以为这是政治不良,或者风俗日趋于奢侈所致,在龚氏,则看穿了这是社会安定日久、兼并进行日亟所致。所以在他人看了,这只是一个政治上、道德上的问题,在龚氏看了,则成为社会问题。此种卓识,真是无人能及。至于社会问题,应该用政治之力来解决,至少政治应该加以干涉,这是中国人通有的思想,龚氏自然也在所不免的。(二)他总觉得当时的政治,太无生气;就是嫌政府的力量,不足以应付时局。这种思想,也是当时政治家所通有的,但龚氏言之,特别深切著明,其所作的《著议》,几乎全是表见此等思想。将经济上的不平等,看作政治上的根本问题,这种思想,从前的人是少有的。至于嫌政府的软弱无力,不足以应付时局,则是从前的人极普通的思想。康有为屡次上书,请求清德宗变法;他所以锲而不舍,是因为他认为"专制君主,有雷霆万钧之力"。但是专制君主,究竟有没有这个力量呢?这就是开明专制能否成功的根本原因了。关于这一个问题,我的意见是如此的:

  中国的政治,是一个能静而不能动的政治。——就是只能维持现状,而不能够更求进步。其所以然,是由于:(A)治者阶级的利益,在于多发财,少做事;(B)才智之士,多升入治者阶级中,或则与之相依附;其少数则伏匿不出,退出于政治之外,所以没有做事的人。君主所处的地位,是迫使他的利益和国家一致的,但亦只能做到监督治者阶级,使其虐民不能超过一定的限度。这些话,从前已经屡次说过了。因此之故,中国政治,乃成为治官之官日多,治民之官日少;做官的人,并不求其有什么本领;试看学校科举,所养所取之士,都是学非所用可知。因此,中国的官吏,都只能奉行故事;要他积极办事,兴利除弊,是办不到的。要救此项弊窦,非将政治机构大加改革不可。用旧话说起来,就是将官制和选举两件事,加以根本改革。若其不然,则无论有怎样英明的君主,励精图治,其所得的效果,总是很小的。因为你在朝廷上,无论议论得如何精详;对于奉行的官吏,无论催促得如何紧密;一出国门,就没有这回事了——或者有名无实,或者竟不奉行。所以中国君主的力量,在实际上是很小的。即他所能整顿的范围,极其有限。所以希望专制君主,以雷霆万钧之力来改革,根本上是错误的。因为他并无此力,开明专制的路,所以始终走不通,其大原因——也可说是其真原因,实在于此。

此等道理,在今日说起来,极易明白,但在当日,是无人能明白的——这是时代使然,并怪不得他们——所以所希望的,尽是些镜花水月。我们试举两事为证:当清末,

第十讲　近代的政治思想

主张改革的人，大多数赞成（一）废科举，或改革科举；（二）裁胥吏，代之以士人。只此两端，便见到他们对于政治败坏的根源，并没有正确的认识。从前的科举，只是士人进身的一条路。大多数应科举的人，都是希望做官的。你取之以言，他便以此为专业，而从事学习。所以不论你用什么东西——诗赋、经义、策论——取士，总有人会做的。而且总有做得很好的人。大多数人，也总还做得能够合格。至于说到实际应用，无论会做哪一种文字的人，都是一样的无用——诗赋八股，固然无用，就策论也是一样——所以从前的人，如苏轼，对于王安石的改革学校贡举，他简直以为是不相干的事。至于胥吏，从来论治的人，几于无不加以攻击。我却要替胥吏呼冤。攻击胥吏的人，无非以为（一）他们的办事，只会照例，只求无过；所以件件事在法律上无可指摘，而皆不切于实际；而万事遂堕坏于冥漠之中。（二）而且他们还要作弊。殊不知切于事实与否，乃法律本身的问题，非奉行法律的人的问题，天下事至于人不能以善意自动为善，而要靠法律去督责，自然是只求形式。既然只求形式，自不能切合于实际，就使定法时力顾实际，而实际的情形，是到处不同的，法律势不能为一事立一条，其势只能总括的说一个大概，于是更欲求其切于实际而不可得。然而既有法律，是不能不奉行的。倘使对于件件事情，都要求其泛应曲当，势非释法而不用不可。释法而不用，天下就要大乱了。为什么呢？我们对于某事，所以知其可为，对于某事，所以知其不可为，既已知之，就可以放胆去做，而不至陷于刑辟，就是因为法律全国统一，而且比较的有永久性，不朝更夕改之故。倘使在这地方合法的，换一处地方，就变为不合法；在这一个官手里，许为合法的，换了一个官，就可指为不合法；那就真无所措手足了。然则法律怎好不保持统一呢？保持法律统一者谁乎？那胥吏确有大力。从前有个老官僚，曾对我说："官不是人做的，是衙门做的。"他这话的意思，是说：一个官，该按照法律办的事情多著呢，哪里懂得这许多？——姑无论从前的官，并没有专门的智识技能，就算做官的人都受过相当的教育，然而一个官所管的事情，总是很多的，件件事都该有缜密的手续，一个人哪里能懂得许多？所以做官的人，总只懂得一个大概；至于件件事情，都按照法律手续，缜密的去办，总是另有人负其责的。这是中外之所同。在中国从前，负其责者谁呢？那就是幕友和胥吏。幕友，大概是师徒相传的。师徒之间，自成一系统。胥吏则大致是世袭的。他们对于所办的事情，都经过一定期间的学习和长时间的练习。所以办起事来，循规蹈矩，丝毫不得差错。一切例行公事，有他们，就都办理得妥妥帖帖了。——无他们，却是决不妥帖的。须知天下事，非例行的，固然要紧，例行的实在更要紧。凡例行的事，大概是日常生活所不可或缺的，万不能一日停顿。然则中国从前的胥吏幕友，实在是良好的公务员。他们固然只会办例行公事,然而非例行公事,本非公务员之职。他们有时诚然也要作弊,然而没有良好的监督制度,世界上有哪一种人,能保其不作弊的呢?所以中国从前政治上的弊病,在于官之无能,除例行公事之外,并不会办;而且还不能监督办例行公事的人,使之不作弊;和办例行公事的公务员——幕友胥吏,是毫不相干的。至于幕友胥吏的制度,也不能说他毫无弊病。那便是学习的秘密而不公开,以致他们结成徒党,官吏无法撤换他。然而这是没有良好的公务员制度所致,和当公务员的人,也是毫不相干的。

闲话休提,言归正传。内忧外患,既已不可收拾了,到底谁出来支持危局呢?在咸同之间,出来削平大乱,而且主持了外交几十年的,就是所谓湘淮军一系的人物。湘淮军一系的人物,领袖是曾国藩,那是无疑的。曾国藩确是有相当政治思想的人。他的思想,表见在他所作的一篇《原才》里;这是他未任事时的著作。到出而任事之后,他的所以自誓者,为"躬履诸艰,而不责人以同患"。确实,他亦颇能实践其所言。所以能有相当的成功。他这种精神,可以说,还是从理学里来的。这也可说是业经衰落的理学,神龙掉尾,最后一次的表演。居然能有此成绩,那也算是理学的光荣了。然而理学家立心虽纯,操守虽正,对于事实的认识,总嫌不足。其中才力大的,如曾国藩等,不过对于时事,略有认识;无才力而拘谨的人,就再不能担当事务了。实际上,湘淮军中人物,主持内政外交最久的,是李鸿章。他只是能应付实际事务的人,说不上什么思想。

五洲万国,光怪陆离的现象,日呈于目,自然总有能感受之而组织成一种政治思想的。此等思想家是谁呢?第一个就要数到康有为。康有为的思想,在中国,可以说是兼承汉、宋二学之流的。因为他对宋学,深造有得,所以有一种彻底改革的精神。因为他对于汉学,也有相当的修养,又适承道、咸以后,今文家喜欢讲什么微言大义,这是颇足以打破社会上传统的思想,而与以革命的勇气的;所以他能把传自中国和观察外国所得,再加以理想化,而组成一个系统。他最高的思想,表见在他所著的《大同书》里。这是要想把种界、国界、家族制度等,一齐打破的。他所以信此境之必可致,是由于进化的观念。他进化的观念,则表见于其春秋三世之说。大同是他究极的目的,和眼前的政治无关。说到眼前的政治,则他在戊戌变法以前,是主张用雷厉风行的手段,一新天下的耳目,而改变人民的思想的。政变以后,亡命海外,对于政俗二者,都观察得深了,乃一变而为渐进主义。只看他戊戌变法时,上疏请剪发易服,后来却自悔其误,就可知道;他所以坚决主张立宪,反对革命,其原因也在于此。康有为到晚年,对于时局,认识有些不清楚了。他坚决反对对德宣战,甚而至于参与复辟,就是其证据。但他的议论,有一点可以注意的,便是他对于政俗二者,分别得很清楚。他对于政,固然主张改变,然其牵涉到俗的一部分,即主张审慎。至于社会上的事，则主张取放任主义，不加干涉。社会亦如自然物然，有其一定的法则，不是我们要他怎样，就可以怎样的。这在现今，已经是很明白的道理。然在现今，仍有许多人的举动议论，似乎是昧于此理的。那末，他们自以为新，其实思想不免陈旧。像康有为这般被目为陈旧的人，其思想，反有合于新科学了。康有为是颇顽固的，他的世界知识，得之于经验的或者很多，得之于学问的，实在很少，他的见解，怎会有合于新科学呢？那只好说是"真理是具存于天壤的，不论你从哪一方面去观察，总可以有所得"的了。

说戊戌维新的，总以康、梁并称。梁启超，论其魄力的伟大，识力的深沉，都比不上康有为；可是他也有一种长处，那便是疏通知远。他于学问，其实是无所心得的。却是他感觉很锐敏，接触著一种学问，就能去研究；研究了，总能有相当的了解；而且还能引用来批评现实；说得来无不明白易解，娓娓动听。他的情感，亦是很热烈的，还能刺激人，使之兴奋，所以他对于中国的政治，可以说其影响实比康有为为大。尤其是《时务报》和《新民丛报》，在当时，真是风靡全国的。后来严复写信给熊纯如说"任公笔下，真有魔力"。把从甲午以后到民国，约二十年间，风气转变的功罪，都归之于他。在启超，真可以当之而无愧。但是你要问我："梁启超的政治思想是如何？"那我是回答不出来的。因为他自己并无独到的、固定的政治思想——甚而至于可以说是一切思想，而只是善于了解他人，介绍他人——惟其无独到，所以不固定；也惟其不固定，所以无独到了。然而他对于实际的影响，其势力之雄，功绩之大，自是不可埋没。

我们若将先秦的事比况，则康有为的性质，是近于儒家、阴阳家的；梁启超的性质，是近于杂家、纵横家的；严复、章炳麟的性质，却近于道家和法家。严复译赫胥黎的《天演论》，译斯密雅丹的《原富》，译斯宾塞的《群学肄言》，他对于自然的演变，看得最明白；而也最尊重这种力量，凡事都不主张强为。最注意的，是非铜匠而修理铜盘，在凸出处打一下，凸出处没有平，别的地方，倒又凹凸不平起来了。这是近乎道家的。他又深知政治和社会不同。"政治不是最好的事"，所以主张现在该有魏武帝、诸葛孔明一流人，才可以致治，他的意见，都表见在民国初年写给熊纯如的若干封信里，语重心长，我们现在，每一披览，还深叹他切于事实。大抵法家的长处，就在对于事实观察的深刻清晰。所以不会滥引一种和现状不合的学说来，强欲施行。譬如治病，别的医生往往悬想某种治法，可以收某种功效，而对于病人，却没有诊察精细。法家是无此弊的，所以这一种人，实为决定政策时所不可少。章炳麟，在近代人物中，也是富于此等性质的。只看当立宪之论风起云涌之时，他独对于代议政体，深致疑虑，就可以见得了。

于此,以我浅薄的见解,颇致慨于现代的论政者,更无梁启超、严复、章炳麟其人。现代的政治学家,对于书本上的知识,是比前人进步了。单是译译书,介绍介绍新学说,那原无所不可,然而他们偏要议论实际的政治,朝闻一说,夕即欲见诸施行。真有"子路有闻,未之能行,惟恐有闻"的气概。然而天下事,有如此容易的么?听见一种办法,书本上说得如何如何好,施行起来,可以有如何如何的效验,我们照样施行,就一定可以得这效验的么?人不是铁,学到了打铁的方法来打铁,只要你真正学过,是没有不见效的。因为铁是无生命的,根本上无甚变化;驾驭那一块铁的手段,决不至于不能驾驭这一块铁。种树就难说些了,养马更难说了,何况治人呢?且如民治主义,岂不是很好的,然而在中国,要推行民治主义,到底目前的急务,在于限制政府的权力,还在于摧抑豪强。用民政策,从前难道没人说过,没人试行过?为什么不能见效?我们现在要行,我们所行的,和昔人同异如何?联邦的组织,怎么不想施之于蒙藏,反想施之于内地?要形成政党,宋朝是最好不过的时代。因为新旧两党,一个是代表国家所要求于人民的,一个是代表人民所要求于国家的。倘使当时的新旧党,能互认敌党的主张,使有发表政见的余地,加以相当的采纳,以节制自己举动的过度,宪政的规模,早已确立起来了。现在人议论宋朝史事的很多,连这都没有见到,还算能引用学理,以批评史实么?

附录

春秋战国之学术思想

春秋、战国，是中国学术思想，开始发达的时代。这时代的学术分为许多派，互相辩论，各有特色，在中国的学术史上，实在是很有价值的。近来的人，都说春秋战国，是我国学术思想，最为发达的时代，后世都比不上他，这话也未必然。春秋战国时代的学术，固然有各专一门，各极高深的长处；也有偏执己见，不了解他人的立场的毛病。譬如墨子的主张节俭，自因为当时贵族奢侈，人民穷困之故。社会穷困之时，应得节俭，是从古以来如此的，看下文便可知道。庄子却说他的道理太苦了，人不能堪，然则坐视着冻饿的人冻饿，你还是奢侈你的，抚心自问，能堪不能堪呢？荀子又说有好政治，穷是不足为患的。墨子何尝说穷是最后的忧患？天然的忧患？不过在当时困穷的情形之下，节俭就是最好的政治罢了。这不过举其一端，其余这一类的地方还很多。总而言之：当时学术的能毂分争角立，互相辩论，固然有其好处；然亦因其在初兴之时，彼此的立场，未能互相了解之故。到后世，没有这种激烈的辩争了；固然由于思想的停滞；然亦因其在社会上通行得久了，各种学问的所长所短，大家都已了然，所以用不着甚么激烈的辩论。我们试看：《史记》的末一篇《自序》载他父亲司马谈论阴阳、名、法、儒、墨、道六家的话，以及《汉书·艺文志》论各家的话，大都有褒有贬。其所褒贬，大致可说是得当的，就可以明白这个道理。所以，我只说春秋战国是中国学术发达，有光采的时代，不说他是最好的时代。我们现在，要研究这时代的学术思想，自然得先研究这时代学术思想发达的原因。

春秋、战国时代学术思想发达的原因，在哪里呢？我以为左列两端，是其很重要的。

（一）封建政体破坏了，贵族变为平民，向来官僚的学术，变为私家的学术。

（二）社会变动剧烈，人民也困苦了，国家也危险了，仁人君子目击心伤，都想设法挽救，于是不得不研究学术。

学术是归纳若干事物所得到的原理、原则。前汉末年，刘向、刘歆父子二人，替汉朝的王室，整理书籍，编纂目录，因而推论古代学术的源流派别，著成一部书目，名为《七略》。《七略》中《辑略》是自述编辑之意的，不是书目。此外《六艺略》是经书，实在就是诸子中儒家的书。《诸子》《兵书略》《数术略》《方技略》，都是当时各种专门之学。《诗赋略》是文学书。《七略》这部书，现在已没有了，可是《汉书·艺文志》，大概是根据他的。这是中国最古的书目，也是中国人最早统论学术源流派别之作。据他所推论，春秋、战国时的学术，其根源，都出于一种"官守"。这话虽无证据，却也有相当理由。因为古代学术，为贵族所专有；而做一种官，就有一种经验。其初不过粗引其端，后来世变日亟，根据旧有的学识，以观察世间的事物，因旧有的见解不同，所注重观察的方面，也自然不同。注重观察的方面不同，其所成就，自更因之而异了。这是春秋、战国时代，学术所以发生派别的原因。

然则当时的学术派别，是怎样的呢？一一列举，未免太烦。我们现在，且举出几家重要的来说说。

其（一）是儒家。儒家是出于司徒之官的。司徒是主教化的，所以儒家在政治上，也重德化而轻刑罚，而尤注重于人伦及道德。

其（二）是道家。道家是主张放任主义的。所以他在政治上，主张无为而民自化。他觉得后世的社会，人与人间的关系，冲突得太利害了，远不如上古时代，浑浑噩噩的好，所以慨想到"小国寡民"之世。他又以为一切事总是循环的。恃强的人，终必吃亏。所以他在应付的手段上，主张"知白守黑，知雄守雌"。

其（三）是墨家。古代社会，离共产之世未远，人民的贫富，本来相差不甚利害。享用的多少，也当合全社会而通筹。譬如到荒年，就大家的吃用，都要减省，虽天子亦是如此。譬如《礼记·王制》说：三年要储蓄一年的粮食。到三十年，就有十年的储蓄，虽然荒年，百姓也不怕饥饿了，到这时候，天子才好天天杀牲，作乐的吃饭。古代各种礼节，到荒年时候，大抵另有减省的办法。如《礼记·曲礼》篇所说：荒年，君就不能吃动物的肺，大夫就不能吃粱（粱和肺，是当时以为美食的），就是一个例子。到春秋、战国时代，就大不然了。贵族的奢侈愈甚，则其对于人民的剥削也愈甚。还要争城争地,打个不已。人民就无所措手足了。墨子是"背周道用夏政"的,所取法的,是较古的治法,所以主张节用和非攻。

其(四)是法家。当竞争剧烈之世,必须用整齐严肃的法度,以训练其人民。而在战国以前,特权阶级是贵族。贵族各顾其私,其利益,就上不与国合,下不与民同,更须有一种法子去驾驭他。法家就是应于这两种需要而发生的。他训练人民的法子,谓之"法",督察贵族的手段谓之"术"。见《韩非子·定法》篇。

以上四家,是和社会政治,关系最大的。此外,研究哲学、论理学的,则有名家。根据天文、历法,以推求宇宙的原理的,则有阴阳家。讲求用兵的法子的有兵家。讲求外交的策略的有纵横家。讲求种植之法的有农家。讲求医学的,有医经、经方等家。医经是医学,经方是药物学。总而言之,从古相传的学术思想,到这时代,分途并进,各自发扬其光辉。所以这个时代,可以说是我国学术思想,很有光采的时代。

春秋、战国时代的学术对于社会,有怎样的影响呢?这个又可分三方面说。

(一)政治上。儒家的崇尚德化,道家的清静无为,法家的整齐严肃,对于后世的政治,都有很大的影响。就是墨家的非攻、节用,也不能说没有影响的。历代开创之初,国用常取节俭主义。就守成的贤君,也是如此。中国历代,都不喜欢侵掠他国,用兵总是自守时多,有时攻击他国,亦是怕他养成气力,将为大患之故,还是攻势的守御。间有以一两个人的野心,而从事于侵略的,总要大受舆论的非难。这都可以说是受墨子的影响。

(二)哲学上。我们最古的哲学思想,是对于宇宙万物,为一种玄学的说明的。阴阳、五行等说,很可以代表这时代的思想。这种思想,到后来,不甚受人家的重视。只有少数的数术家,根据着此等说法,以研究哲理罢了。中国人的哲学思想,是切于人事的。其最为深入于国民心坎的,则为儒家的"易"和"中庸"两种思想,道家的尊重自然的思想。中国人所以最不固执;最容易改革;凡事不走极端;不主张强为。可说都是深受古代学术思想的影响的。

(三)社会上。春秋战国的学术,对于社会影响最深的,可以说是孔子的人伦日用之教。人人都觉得人与人之间,应当互相帮助,互相亲爱;而日用寻常之间,亦必事事求其合理。做好人正不必好高骛远,就目前的境地,人人可以做得的。都是受此种思想的影响。次之则道家的委心任运,与世无争,似乎对于社会的心理,影响也很大。

以上不过举其最大的,其余较小的影响,自然是列举之而不能尽。总而言之,一种学术思想,既经盛行一时,到后来虽若成为过去,其实早已深入人人心中,成为构成他人格的一部分了。这是历代的学术思想,都是如此的。

春秋、战国的学术思想,其年代较早,其影响于国民的性格,和社会上的事实,自然更深,所以这时代的学术思想,实在是中国文化很重要的一个渊源。

(选自《吕思勉文集·吕著中小学教科书五种·初中标准教本本国史》第八章)

鸦片战争前之国内情形

中国既遭遇旷古未有之变局，是时之情形如何，自应加以检讨，今分社会及政治两方面述之。

社会方面：（一）中国人对外之观念，本属宽大。《尚书大传》述越裳氏来朝，周公谓政教不加，君子不受其贡贽，此为古代之见解。降及汉代，匈奴呼韩邪单于来朝，萧望之不欲其受臣礼，犹沿此等见解之旧。自五胡乱华，中国人颇受其压迫，对外之观念稍变。辽、金侵入，汉人之受压迫弥深，见解之变亦弥甚，遂有所谓尊王攘夷之说。尊王攘夷之观念，发生于北宋之世，实晚唐时裂冠毁冕之反响，亦沙陀、契丹等侵入，有以激之使然也，至南宋而此观念益形发达。胡安国之《春秋传》，可以为其代表。对外之观念，寖流于偏狭。（二）且民族主义，须有智识以行之。民族主义，推至极端，实有弊害，惟有能受理性之支配，方可收其利而不受其害。而宋学末流入于空疏，加以科举之流毒，空疏更甚，遂至于外情茫无所知，而一味盲目排斥，几与愚民无异。（A）且如古代交通不便，各地方之风俗亦不同，以君主一人之野心，劳民伤财，妄事开拓，实无益而有损，故以勤远略为戒。

然后世（甲）防御，（乙）防御性质之攻战及要点之据守，则迥非其伦矣。乃至清代，西人东来后，有以讲究边防，研求外情之说进者，迂儒犹以为勤远略而反对之。（B）又如古代工业，墨守成规，而其时社会，严禁奢侈，故有作奇技淫巧以疑众者杀之说。欧西机械，或益民用，或资国防，迥非其伦，乃亦以为奇技淫巧而妄加反对。此等锢蔽之见解，深入其心，加以（子）外力之压迫，（丑）宗教之畏恶，动于感情，劫于群众，其见解之牢不可破也遂弥甚。士人如此，愚民受其诱导，其盲目自更不待言矣，遂至新机之启辟甚难，仇外之风潮屡起。

政治方面，则以概沿闭关时代之旧，于竞争极不适宜。其最甚者，（一）行政机关组织之不善，盖自贵族阶级崩溃以后，官僚代之而居治者之位置，凡阶级之性质，恒欲剥削他阶级以自利，君主之责任，则在调和两者之间，而求其平衡，故为治最要之义，在能监督官吏，不使虐民太甚，政治遂偏向此路发达。治官之官日多，治民之官日少，夫无治民之官，则无治事之官，而百事皆废矣。况于真正办事者，尚非官吏，而实为人民自己。近代亲民之官，必称州县，<small>州指散州言</small>。实即古代之国君，仅能指挥监督，而不能真办事，何者？势有不及，力亦不给也。真办事者，实惟县以下之自治职，而（a）官吏每向此等人压迫，以图自利。（b）又平民生活，极为痛苦，其狡猾者，乃与官僚阶级相结托，以鱼肉平民。于是地方自治之职，本古士大夫之流，日受压迫，沦于厮养，自治之权，渐入土豪劣绅之手，凡有兴作，无不诒害于民，言治者遂以清静不扰为惟一之方术，寖至百事皆废，其或迫于时势，必须有所举办，亦皆有名无实，所谓纸面上有，实际则无也。（A）政治组织机关之坏，至清代而达于极点，因（1）督抚，（2）藩臬，（3）自藩臬分出之道，（4）府直隶州厅，（5）县及散州厅，实际乃有五级，抑压甚而展布难，亲民之官，即使按法奉事上司，已觉不给，况乎非法之伺应而斅索多耶？（B）又清代政治偏于安静，不肯擢用奇才异能及年少有为之士，而专以例督责其下。此由鉴于明代之弊而然。例非吏不能悉，遂至大权操于胥吏之手，而欲有所兴作益难。（二）至于为官吏之人，则以正途为尚。（甲）明清两代，所谓正途者，率由科举出身，科举本属良法，惟在唐宋时代，已不能尽切于实用，至明清又将前此之分科，悉并为一，事实上科举已非普通人所能应，乃不得不放弃一切，而只看几篇四书文，而其所谓四书文者，又别成为一种奇异而不合理之体制。即四书亦不必真通，而其体制，却颇足消磨精力，士人遂至一物不知。（乙）清代又因筹款屡次开捐，末年更裁减其价，以广招徕，于是仕途之流品益杂。其知识及道德水准，较之正途出身者，更形低下，末年官方之大坏，职此之由。（三）以兵力论，则（A）中国承平时代，只可谓之无兵，何者？凡事必有用，人乃能聚精会神以赴之。若其为用渺不可知其在何时，未有不以怠玩出之，而寖至于腐败者也。此为心理作用，受时势之支配，无可如何之事。历代注重军政，若宋、明之世者，其兵力虽云腐败，兵额尚能勉强维持。清代则文恬武嬉，兵额多缺，而为武员侵蚀其饷。存者亦不操练，一以武员之怠荒，一以兵饷太薄，为兵者不得不兼营他业以自治，更无操练之余暇也。（B）近代火器发明，实非人力所能敌，亦为兵事上一大变。（四）兵事如此，（甲）边防自更废弛，（乙）对于藩属之控制，亦自更粗疏矣。（五）又中国近代，富力与西洋各国相差太远，社会经济落伍，赋税之瘠薄随之。清代经常收入，恒不过四千数百万，即其末造，亦不过七八千万，尚安能有所举措耶？

在此情势之下，不能不遭一时之困难也决矣。

（选自《吕思勉文集·中国近代史八种·中国近百年史概说》第三章）

中国政治与中国社会

世界上的民族国家,为什么会有盛衰兴亡之事?

人必有其所处之境,与其所处之境适宜则兴盛,不适宜则衰亡,这是很容易明白的。然则人与环境,为什么有适宜不适宜之分呢?我们知道:动物适应环境的力量,是很小的,它所谓适应,无非是改变自己,以求与所处之境相合,如此,则非待诸遗传上的改变不可,这是何等艰难的事?人则不然,不但能改变自己,还能改变环境,使与自己适合。所以人类不但能适应环境,还能控制环境。人类控制环境的行为,为之文化。人类,很难说有无文化的,即在最古的时代,亦是如此。人类的进化,纯粹是文化进化。我们现在的社会,和汉唐时代,已经大不相同了,而我们的身体,则和地底下掘出来的几十万年以前的人,并无不同。欧洲考古学家证明古埃及人的体格和现代并无不同。不论如何野蛮社会里的人,倘使移而置之文明社会之中,都可以全学会文明社会中人之所能,而无愧色,就是一个确切的证据。所以民族国家的盛衰兴亡,全是判之于其文化的优劣。

文化为什么会有优劣呢？文化本是控制环境的工具，不同的环境，自然需要不同的控制方法，就会造成不同的文化。文化既经造成以后，就又成为人们最亲切的环境，人们在不同的文化中进化，其结果，自然更其差异了。文化是无所谓优劣的，各种不同的文化，各适宜于对付各种不同的环境。但是环境不能无变迁，而人们控制环境的方法，却变迁得没有这么快。人们控制环境的方法，为什么变迁得不会有环境这么快呢？那是由于，（一）大多数人，总只会蹈常习故。审察环境的变迁，而知道控制的方法不可不随之而变迁的，总只有少数人。（二）而我们现在社会的组织，没有能划出一部分人，且拣出一部分最适宜的人来，使之研究环境变迁的情形，制定人类控制的方法，而大家遵而行之，而只是蹈常习故。古希腊人有一种理想，以为君主宜以最大的哲学家为之，中国古代亦系如此。《公羊》隐公元年《何注》，说"元年春王正月公即位"之义道："《春秋》以元之气，正天之端，以天之端，正王之政，以王之政，正诸侯之即位，以诸侯之即位，正境内之治。诸侯不上奉王之政，则不得即位，故先言正月而后言即位，政不由王出，则不得为政，故先言王而后言正月也。王者不承天以制号令则无法，故先言春而后言王，天不深正其元，则不能成其化，故先言元而后言春，王者同日并见，相须成体，乃天人之大本，不可不察也。"此谓王者应根据最高的原理，制为定法，以治天下，其说原无误缪。但在小国寡民之世，事务简单，庸或能事事措置妥帖。在广土众民之世，就断无法悉知悉见了。悉知尚且不能，何况加以研究，而制定适当的处置方法？所以古人希望有一个圣人出来，对于一切事情无不明白，因而能指示众人以适当处置的方法，事实上是不可能的。但一人之智不及此，合众人而共同研究，则不能谓其智不及此。我们的误缪在于，（一）迷信世界上有一个万古不变之道，此道昔人业已发现，我们只要遵而行之，遂不复从事于研究。（二）处事之时，亦不肯注重于研究。即或迫于事势，不得不加以研究，而研究的人数，既苦于不足，其人选又不适宜。所以社会科学的道理，迄今多黯然不明。现代科学的研究，不合理想的地方还很多，因其规模比较大，研究的人数比较多，人选亦比较适宜，其成绩就非前此所可同日而语了。所以治世的方法，并非不可发现的，不过人们现在的所为，不足以语于此。于是环境变迁了，人还是茫然不觉。（三）虽然没有能够推出一部分人来，使之从事于研究环境的情形，以定众人行为的方针，然事实上总有处于领导地位的人。这种人，往往头脑顽固，而且其利益往往和大众及全体冲突，以全体的利益论，在某时代，适宜于改行新制度，制度二字，旧时多就政治方面言，此处所用，兼该社会的规则。所谓环境，实有两方面：一为自然，一即社会，可谓人类的自身。制度即人类所以控制自己的。而这种人的私利，都是藉旧制度为护符的。因为和其私利冲突，新制度，即适宜于控制环境的方法，往往为此等人所反对。甚至知识为利欲所蔽，连此等新制度的适宜，他也不知道了，而真以旧制度为适宜，遂至尽力以反对新制度，保存旧制度。因为此等人在社会上是有力分子，人们要改变控制环境的方法，就成为非常艰难的事,因为先要对付反对改变的人。如此,人们改变控制环境的方法,就往往要成为革命行为,这是何等艰难的事?

文化的兴起,本是所以应付自然的。在最初的一刹那间,所谓环境,其中本只包含自然的成分。此系就理论上言,勿泥。但是到文化兴起以后,文化就成为环境中的一个因素了。而且较诸自然的因素,更为重要。因为自然的变迁,是缓慢的。在短期内,不会使人们有大变其控制方法的必要。人为的因素则不然。其变迁往往甚剧,迫令人们非改变其方法不可。能改变则更臻兴盛,不能改变则日就衰亡,大概都是这种因素。文化是有传播性质的,即甲社会控制环境的方法,可以为乙社会所仿效,乙社会之方法,可为甲社会所仿效亦然。此其相互之间,较优的社会,往往欣然愿意指导较劣的社会,而较劣的社会,亦恒欣然乐于接受。此等现象的由来,我们除掉说:人是生而有仁智之心的,别无解释的方法。人心之不可改变,等于人体之不可改变。心理是根于生理的,其实二者原系一事。要使人不爱人,人不求善,正和不许人直立而使之倒悬一样的难。如此,世界上各地方各种不同的文化,就应当迅速的互相传播,各地方很快的风同道一;而全人类的文化,也因之日进无疆了。然而不能不为前述的原因所阻碍。因此,各民族国家的文化,就不能无适宜与不适宜之分,因而生出盛衰兴亡之事。

当盛衰兴亡迫于眉睫，非大改变其文化不能控制环境，以谋兴盛而避衰亡之时，其能否改变，改变之速度能否与环境的变迁相应，所谓能否改变，其实就是速度能否相应的问题。若不为环境所迫而至于衰亡，时间尽着延长，是没有什么民族，能断言其不会改变的。仍看其本来文化的高低。

因为自然的环境不会急变，急变的总是人造出来的环境，所以一个民族、一个国家环境的剧变，恒在与一个向不交通的区域交通之时。这所谓交通，非普通所谓往来之义。世界上无论如何隔绝的区域，和别一区域直接或间接的往来，怕总是有的，但是此等偶尔的往来，并不能使该区域中的文化，发生需要改变的情形，便非我在此地所说的交通。我在此地所说的交通，乃指因两造的往来，使其中的两造或一造所处的环境，为之改变，达于非改变控制方法不可的程度而言。不达于此程度，虽日日往来，亦不相干。准此以谈，则中国的文化，可以划分为三大时期：即

1. 中国文化独立发展时期。
2. 中国文化受印度影响时期。
3. 中国文化受欧洲影响时期。

第一时期的界限，截至新室灭亡以前，寻常都以秦的统一，为古今的大界，其实这是表面上的事情，若从根本上讲，则社会组织的关系，实远较政治组织为大。中国在古代，本有一种部族公产的组织，其部族的内部，及其相

互之间，都极为安和，此种文化，因交通范围的扩大，各部族的互相合并而破坏了。但其和亲康乐的情形，永为后世所追慕，而想要恢复他，因为昔人不明于社会组织的原理，所走的是一条错误的路，因此，自东周至前汉之末，此种运动，垂六七百年，此不过约略之辞，实际上，此等运动，或更早于此，亦未可知。不过在两周以前，史料缺乏，无可征信罢了。而终于无成。自新室的革命失败以后，我们遂认现社会的组织是天经地义而不可变。不以为社会的组织，能影响于人心，反以为人心的观念，实造成社会的组织，遂专向人的观念上去求改良。在这种情形之下，印度的哲学思想，是颇为精深的；其宗教感情，亦极浓厚；适合我们此时的脾胃，遂先后输入，与中国固有的哲学宗教，合同而化，而成为中国的所谓佛教。发达到后来，离现实太远了，于是有宋朝的理学，欲起而矫其弊。然其第一时期以观念为根本，第二时期承认现社会的组织为天经地义，还是一样的。所以理学代佛学，在社会上，并不起什么变化。近几百年来，欧洲人因为生产的方法改变了，使经济的情形大局改变。其结果，连社会的组织，亦受其影响，而引起大改革的动机。其影响亦及于中国。中国在受印度影响的时代，因其影响专于学术思想方面，和民族国家的盛衰兴亡，没有什么直接的紧迫的关系。到现在，就大不相同了。交通是无法可以阻止的，最小的部族为什么要进为较大的大国？较大的国家为什么要进为统一的大国？统一以后，为什么还要与域外之国相往来，都是受这一个原理的支配。既和异国异族相交通，决没有法子使环境不改变，环境既改变，非改变控制的方法，断无以求兴盛而避衰亡。所以在所谓近世期中，我们实有改变其文化的必要。而我国在受著此新影响之后，亦时时在改变之中，迄于今而犹未已。

转变，伟大的转变！

要讲中国的近世史，必先知道入近世期以前中国的情形，现在从政治、社会两方面，说其大略。

中国的政治，是取放任主义的。从前的政治家，有一句老话，说"治天下不如安天下，安天下不如与天下安"。只这一句话，便表明了中国政治的消极性。中国的政治，为什么取这种消极主义呢？原来政治总是随阶级而兴起的。既有阶级，彼此的利害，决不能相同。中国政治上的治者阶级，是什么呢？在封建时代，为世袭的贵族。封建既废，则代之以官僚。所谓官僚，是合（一）官；（二）士，即官的预备军；（三）辅助官的人，又分为（甲）幕友，（乙）吏胥，（丙）差役；（四）与官相结托的人，亦分为（子）绅士，（丑）豪民。此等人，其利害都和被治者相反，都是要剥削被治者以自利的。固然，官僚阶级中，未尝无好人，视被治阶级的利害，即为自己的利害。然而总只是少数。这是因为生物学上的公例，好的和坏的，都是反常的现象，只有中庸是常态。中庸之人，是不会以他人之利为己利，亦不会以他人之害为己害的，总是以自己的利益为本位。

社会的组织，使其利害与某一部分人共同，他就是个利他者。使其利害和某一部分人相对立，就不免要损人以自利了。所以官僚阶级，决不能废督责。督责二字，为先秦时代法家所用的术语。其义与现在所谓监察有些相似，似乎还要积极些。然中国地大人众，政治上的等级，不得不多，等级多则监督难。任办何事，官僚阶级都可借此机会，以剥民而自利。既监督之不胜其监督，倒不如少办事，不办事，来得稳妥些。在中国历史上，行放任政策，总还可以苟安，行干涉政策，就不免弊余于利，就是为此。因此，造成了中国政治的消极性。

试看政治上的制度：中国是世界上最古的大国，皇帝的尊严，可谓并时无二，然其与臣下的隔绝亦特甚。现在世界上，固有版图更大于中国的国家，然合最古和最大两条件言之，则中国实为世界第一。康有为《欧洲十一国游记》曾说：中国人所见外国有君主，往往臆想，以为亦和中国的皇帝一样，其实全不是这么一回事。欧洲小国的君主，时常步行出宫，人民见之，脱帽鞠躬，他亦含笑答礼，较之中国州县官，出有仪卫的，还觉得平易近人得多呢。中国君主的尊严，乃由其地大人众，而政治上的等级，不得不多，等级多，则不得不隔绝，隔绝得厉害，自然觉得其尊严了。再加历史上的制度和事实，都是向这一方面进行的。所以历时愈久，尊严愈甚，而其隔绝亦愈甚。秦汉时的宰相，是有相当的权力，而其地位亦颇尊严的。然自武帝以后，其权已渐移于尚书。曹魏以后，又移于中书，刘宋以后，又参以门下。至唐代，遂以此三省长官为相职，而中书、门下，尤为机要。后来两省长官，不复除人，但就他官加一同平章事等名目，即为宰相。其事务，则合议于政事堂。政事堂初在门下省，后移于中书省。宋元之世，遂以中书省为相职。中书、门下等官，其初起，虽是天子的私人，至此其权力又渐大，地位又渐尊了。明世，乃又废之而代以殿阁学士。清代，内阁之权，又渐移于军机处。总而言之，政治上正式的机关，其权恒日削，而皇帝的秘书和清客一类的人，其权恒日张。内阁至清代，已成为政治上正式的机关。军机处则不过是一个差事，和末年的练兵处、学务处一样。外官：秦汉时的县，实为古代的一国，此乃自然发达而成的一个政治单位。五等之封，在经学上，今古文立说不同。今文之说，见于《孟子·万章下》篇和《礼记·王制》，大国百里，次国七十里，小国五十里，此乃自然的趋势所发达而成的政治单位。《汉书·百官公卿表》说：汉承秦制，县大率方百里，即是将此等政治区域，改建而成的。古文之说，见《周官·职方氏》，公之地方五百里，侯、伯、子、男，递减百里，乃根据东周以来的事实立说的。如《孟子·告子下》篇说：今鲁，方百里者五，就是《周官》所说的公国了。此等国中，实包含许多政治单位，而其自身并非一个政治单位。更大的国，如晋、楚、齐、秦等，就更不必说了。大率方百里为一政治单位，实从春秋以后，直到现在，未曾有根本变更。因为县这一个区域，从来没变动过。郡本是设在边陲之地，以御外侮的，与县各自独立，不相统属。后来大约因其兵备充足，县须仰赖其保护，乃使之隶属于郡，然仍只是边陲之地。战国时，楚之巫、黔中、燕之上谷、渔阳、右北平、辽西、辽东，赵之云中、雁门、代郡等，均在沿边之地。秦始皇灭六国，因其民未心服，觉得到处有用兵力镇压的必要，乃分天下为三十六郡，而以郡统县，始成为普遍的制度。此时距封建之世近，郡守的威权，又怕其太大，乃设监察御史，汉朝则遣刺史监察之。汉朝的刺史，一年一任，没有一定的驻所；其人的资格和官位，都远较太守为低。所察以诏书所列举的六条为限，不外乎太守的（一）失职，（二）滥用威权，（三）依附豪强，其他概非所问，真是一个纯粹的监察官。唐宋以后的监司官，就不能如此了。然即使把它算作行政官，也还只有三级。至元代，乃又于其上设一中书行省。明虽废之而改设布政、按察两司，其区域则仍元行省之旧。至清代，督抚又成为常设的官，而布政司的参政、参议，分守各道，按察使的副使、佥事，分巡各道的，又渐失其原来的性质，而俨若在司府之间，自成一级。于是合（一）督抚，（二）司，（三）道，（四）府、直隶州厅，（五）县、散州厅，秦并天下，立郡县二级之制。汉时刺史，本非行政官。每一刺史所分察的区域，政治上并无名称，当时言语，则称之为州。后来改刺史为州牧，即沿用其称谓。州字至此，始成为行政区划之名。东晋以后，疆域缩小，而侨置的州郡日多。州之疆域，寖至与郡无异，隋时乃并为一级。自此州郡二字，异名同实，都系秦汉时的所谓郡。其监司官所管的区域，则唐称为道，宋称为路。元时于路之上又置行中书省。明虽废省设司，其区域则仍元之旧，其名称遂亦相沿不变。府之称，唐时唯长安、洛阳为然。后梁州以为德宗所巡幸，亦升为兴元府。宋代大州多升为府。于是秦汉时所谓郡的一级，或称为府，或称为州。此为明代府与直隶州并立的由来。其直隶厅，则系清代同知、通判另有驻地，而直隶于布政司者之称。又元时因省冗官，令知州兼理附郭县事，明初遂并县入州，所以凡直隶州都无附郭县，其不领县的，称为散州，就与县无异了。散厅则是同知、通判有驻地而仍属于府的。总之，近代的地方制度，颇为错杂不整。几乎成为五级了。等级愈多，则下级受压制愈甚，而不能有所作为；上级的威权愈大，而驯致尾大不掉。清中叶以后，此等弊害，是十分显著的。县既是古代的一国，县令即等于国君，是不能直接办事的，只能指挥监督其下。真正周详纤悉的民政，是要靠乡镇以下的自治机关举行的。此等机关，实即周时比长、闾胥、族师、党正、州长、乡大夫等职；汉世的三老、啬夫、游徼，尚有相当的权力，而位置亦颇高。魏晋以后，自治废弛，此等乡职，非为官吏所诛求压迫，等于厮役，即为土豪劣绅所盘踞，借以虐民，民政乃无不废弛。总而言之，中国政治上的制度，是务集威权于一人，但求其便于统驭，而事务因之废弛，则置诸不问，这是历代政治进化一贯的趋势，所以愈到后世，治官的官愈多，治民的官愈少，这是怪不得什么一个人的。政治的进化，自有一个隐然的趋势在前领导着，在这趋势未变以前，是没有法子违逆它的。即使有一两个人要硬把它拗转来，亦不旋踵而即复其旧，其而至于加甚其程度。

因为政治上有这但求防弊的趋势，就造成了一种官僚的习气。官僚政治的情态是（一）不办事，（二）但求免于督责，（三）督责所不及，便要作弊。不办事的方法，是（甲）推诿，（乙）延宕。推诿是干脆不办。延宕是姑且缓办，希冀其事或者自行消灭，或可留给别人办。官场的办事，所以迟缓，就是为此。但求免于督责，则最好用俗话所谓"说官话"的手段。表面上丝毫无可指摘，实际上却全不是这么一回事。官场的办事，所以有名无实，即由于此。作弊乃所以求自利，求自利，是一切阶级本来的性质，与其阶级同生，亦必随其阶级而后能同灭的。官僚既成为一阶级，自亦不能违此公例。所以官僚阶级的营私舞弊，侵削国与民以自利，是只能随监督力量的强弱而深浅其程度的，性质则不能改变，这是古今中外所同然的。作事的但求卸责，及监督不及，便要作弊，外国的官僚政治，亦和中国相同，但其官制受过资本主义的洗礼，组织要灵活些，监督也要严密些，所以作弊要难些，办事也要敏捷些，然其本质则无异。

以上所说的是立法，至于用人，则向来视为拔取人材之途的，是学校与科举。学校在官办的情形下，自然不会认真。倒不如科举，还有一日之短长可凭。科举遂成积重之势，流俗看重它，朝廷亦特优其出身。然科举则所学非所用。从前的科举，取中之后，是要给他官做的，实在是一种文官考试。然其所考的，则唐朝为诗赋和帖经、墨义，宋朝则废帖经而改墨义为大义，帖经、墨义之式，见于《文献通考·选举考》。帖经是责人默写经文，墨义则责人背诵注语，和现在学校中旧式考试，专重记忆的一般。此乃受当时治学方法的影响。因为当时人的治经，本是以记忆为贵的。都是和做官无干的。自宋以前，诗赋及经义，迄分为两科，元以后复合为一。元、明时首场试四书、五经义，次场试古赋、诏、诰、表等，均系辞章性质。清朝虽去之，将四书五经义于头二场分试，然头场试诗一首，仍须懂得辞章。其事实非普通人所能为。明、清以来，遂专注重于几篇四书义，而其余都不过敷衍了事。而四书义的格式，又经明太祖和刘基制定，是要代圣贤立言的。因此，遂生出不许用后世事的条件。明清两代，科场所试的经义，体制相同。以其本为明太祖所制定，所以称为制义，又称为制艺，其体制颇为特别。中国的对偶文字，是句与句相对，此则段与段相对。其严整的格式：除起处先以两句总括题旨，谓之破题；又以数语续加申说，谓之承题；再以一段总括题义，谓之起讲外，以下的文字，须分作八段。第一段与第二段，第三段与第四段，第五段与第六段，第七段与第八段相对。除起讲之后，有数单语，谓之入手；每两段之后，可以有数单语，谓之出落；结笔又可用数单语，谓之落下外，其余都须两两相对。后来虽有变通，大体相去总不甚远。此种文体，本已特别，非专门学习不可。后来出题目的，又务求其难，如其所谓虚小题。虚题，有专取两个虚字，以为题目的。如以《孟子·告子下》篇"必先苦其心志，劳其筋骨，饿其体肤，空乏其身，行拂乱其所为"之"必先"二字为题。小题中的截上，将上文截去；截下则将下文截去；截搭则上一句系截上，下一句系截下，此等题目，本非连上下文不可解，而文字的表面上，却不许涉及上下文，谓之犯上，犯下。截搭题则做六股，前两股说上句，其中须隐藏下句的意义，或硬嵌入其字面，谓之钓。后二股做下句，对于上句亦然，谓之挽。中闻两股，则从上句说到下句，谓之渡。大题有出至十余章的，根本不是一句话，而文中不许各章分说，硬要想出一个法子来，把它联成一片，谓之串做。诸如此类，都是非法之法，单明白事理的人，不会就懂得的，所以非专门学习不可。此等非法之法，是很多的。以上所举，不过大略。所以学之颇费时间。天资中等的人，就可以穷老尽气了。以上所说的，系属后来的流弊。其（一）段与段相对，（二）不准自己说话，而要代书中的人立言，则初立法时已然，此二者可谓八股文的特色，为此种文体所由成，即此已与普通事理不合，非专门学习，不会懂得了。应科举的人，本来是不讲学问，只求会做应试文字的。应试文字，当其立法之初，虽亦想藉此以觇所试的人的学识，然其结果，往往另成为一种文字。无学识的人，经过一定的学习，亦可以写得出来，有学识的人，没有学习，亦觉无从下手，应举文字至此，遂全与学识无干。而况加以这一种限制，使其更便于空疏呢？近世学子之所以一物不知，和科举制度，不能不说有很大的关系。人的气质，是多少和其所从事的职业，有些关系的。唐朝的进士试诗赋，其性质多近于浮华。明、清的科举重四书义，四书注则采用朱注，所以其士子的性质，多近于迂腐。空疏则不知官吏的职责，迂腐则成为改革的阻力。清朝后来所以政治上绝无可用之才，而所谓绅士，多成为顽固守旧之魁，即由于此。但此等人，究竟还有些方正的性质，总还有所不为，虽不懂得世务，还有些空泛的忠君爱民，顾惜名节等观念。而清朝从中叶以后，又大开其实官捐，出了钱的人，都可以买官做。于是官场的流品益杂，其人的道德观念和智识程度，又在科举中人之下。而仕途的拥挤，又逼着他无所不为，官方之坏，就不可收拾了。就一般国民之中，拔擢出一部分人来，算他有做官的资格，谓之取士。就已有做官资格的人，授之以官缺，谓之铨选。铨选有两法：一种是畀用人之人以选择之权的，是为注重衡鉴。一种则专守成法，不许以意出入，是为注意资格。以人批评人，固然很难得当，较之全不问其好坏，总要好些。所以就理论言，注重衡鉴之法，实较专凭资格为合理。但这是以操铨选之权者大公无私为限。若其不然，则势必衡鉴其名，徇私舞弊其实，还不如资格用人，可以较为安静了。从注重衡鉴，变为专守资格，亦是从前政治进化自然的趋势。政治主义不变，是无法可以遏止的。但在非常之时，亦必有非常之法，以济其穷。清朝却始终没有，一切又是循资按格。所以始终不能擢用有才有志的人，以振作士气，鼓舞民心，浮升至大僚的人，大都年已六七十，衰迟不振，惟利是图。这是清朝的政治所以绝无生气的原因。

在朝的政治，既无生气，所希望的，就是在野的人。在野的人，就是所谓士。不在其位的士大夫，都慷慨喜言政治，有时亦可影响于朝局。而且在野的人，喜谈政治，则留心政治的人必多,其中自多可用之才。苟得严明的君主以用之,自易有振敝起衰之望。党祸的根源,就政治上言之,实由上无严明之主,历代的党祸,其中的首领,也总有几个公忠体国的人,但大多数附和的人,则均系为名为利。加以惩治,适足使其名愈高,名高而利即随之,彼正私心得计,所以党争必不可以力胜。只要有严明的政治,持之以久,而不为其所摇动,久则是非自见,彼将无所藉以鼓动群众,其技即将穷而自止,而党祸也就消灭了。清朝承明代党争之后,防止立社结党甚严。又清以异族入主中原,对于汉人,较之前朝猜忌尤甚。所以士大夫都不敢谈政治,而萃其心力于辞章考据。清儒的学问,亦自有其特色,然就政治方面论,则大都是无用的。又承宋明理学盛极而衰之会,只致力博闻而不讲究做人的道理。所以其人的立身行己,多无足观。既无以自足于内,则必将浮慕乎外,而嗜利却不重名节,遂成为士大夫阶级一般的风气。

凡百政事,总是有了钱,才能够举办的。所以财政实为庶政的命脉。要想积极地整顿政治,理财之法,是不能不讲的。中国的政治,既是放任主义,所以其财政亦极窳敝。全国最重要的赋税是地丁。地即田税,丁乃身税,本指力役而言。责民应役,其弊甚多,乃改为折纳钱而免其役。而所谓折纳钱者,又不是真向应役的人征收,而是将全县丁额,设法摊派于有田之家,谓之丁随粮行。名为丁税,其实还是田税。清朝所谓编审,就是将丁税之额,设法改派一番,和清查户口,了不相干。所以各县丁税,略有定额，并不会随人口而增加。清圣祖明知其然，乃于康熙五十一年下诏：令后此滋生人丁，永不加赋。新生人丁，概不出赋，而旧有丁赋之额，仍要维持，就不得不将丁银摊入地粮了。至此，地丁两税，乃正式合并为一。所以昔时租税的基本部分，全为农民所负担，其伸缩之力极小。财政困难时，加赋往往召乱。但不加赋，又无以应付事情，这亦是从前政治难于措置的一端。

　　国家最重要的职务，是维持国内的秩序，抵御外来的侵略。为达到这两项目的起见，于是乎有兵刑。中国从前的情势，在承平时代，是无所谓兵的，所谓兵，只是有一种人名为兵而吃饷，其实并无战斗力。这是由于承平时代，并无对立的外敌，亦无必须预防的内乱。处此情形之下，当兵的人和带兵的人，自然不会预期着要打仗，而军政就因之腐败了。兵可百年不用，不可一日无备，私天下的人，何尝不想维持强大的军队，以保守一己的产业？然有强兵而无目标，其兵锋往往会转而内向，这亦是私天下者之所惧，因此不敢十分加以整顿。而且在政治腐败之时，亦不知道要整顿，即使想整顿，亦复不能整顿。所以在历史上，往往内乱猝起，外患猝至，国家竟无一兵可用。要经过相当时间，新的可用的军队，才能从一面打仗、一面训练中，发生成长起来。这亦是为政情所规定，而无可如何的。

　　至于刑法，则向来维持秩序的，是习惯而非法律。换言之，即是社会制裁，而非法律制裁。其所由然：（一）因政治取放任主义而软弱无力。(二)因疆域广大,各地方风俗不同,实不能适用同一的法律。于是法律之为用微,而习惯之为用广。(三)因社会上的恶势力,并没有能够根本铲除。如家法处置等事,到现在还有存留于社会的。(四)因官僚阶级中人,以剥削平民为衣食饭碗,诉讼事件,正是一个剥削的好机会。此项弊窦,既为官僚阶级的本质,则虽良吏亦无如之何。不得已,乃惟有劝民息讼。以国家所设的官,本以听讼为职的,而至于劝民息讼,细想起来,真堪失笑。然在事实上,却亦不得不然。五口通商以后,西人藉口于我国司法的黑暗,而推行其领事裁判权,固不免心存侵略,然在我,亦不能说是没有召侮的原因。

中国的人民,百分之八十是农民,农民的知识,大概是从经验得来的。其种植的方法,颇有足称。但各地方的情形,亦不一律,如李兆洛做《凤台县志》,说当地的人,一人种田 16 亩,穷苦异常。有一个人,唤做郑念祖,雇一兖州人种园。两亩大面积,要雇一个人帮忙。所用的肥料,要 2000 个铜钱。而凤台本地人,却种 10 亩地,只用 1000 个铜钱的肥料。其结果,兖州人所种园地,大获其利,而凤台当地人,则往往不够本。于此,可见凤台人耕作之法,远不如兖州。李兆洛是常州人。常州是江南之地,江南的耕作法,是号称全国最精的,李氏因而主张,雇江南的农师,到凤台去教耕,兼教之以各种副业。他说:如此,一人 16 亩之地,必可温饱而有余。举此一例,可见各地方的农民，其智识的高低，并不一律。这是因地利之不同，历史之有异，_{如遭兵荒而技术因之退步等}。所以其情形如此。但以大体论，中国的农民是困苦的。这因（一）水利的不修，森林的滥伐，时而不免于天灾。（二）因田主及高利贷的剥削，商人的操纵。（三）沃土的人口，易于增加。所种的田，因分析而面积变小。所以农民的生活，大多数在困苦之中。设遇天灾人祸，即遭流离死亡之惨，亦或成为乱源。

工业：大抵是手工。有极精巧的，然真正全国闻名的工业品并不多。即使有，其销场实亦仍限于一区域中。流行全国的，数实有限。_{如湖笔、徽墨，其实并未推行全国，各处都有制造笔墨的人}。此因制造的规模不大，产量不多，又运输费贵，受购买力的限制之故。普通用品，大抵各有行销的区域。工人无甚智识，一切都照老样子做，所以改良进步颇迟；而各地方的出品，形式亦不一律。商人在闭关时代，可谓最活跃的阶级，这因为社会的经济，既进于分工合作，即非交换不能生存。而生产者要找消费者，消费者要找生产者极难，商人居其间，却尽可找有利的条件买进，又可尽找有利的条件卖出。他买进的条件，是只要生产者肯忍痛卖。卖出的条件，是只要消费者能勉力买，所以他给与生产者的，在原则上，只有最低限度。取诸消费者的，在原则上，却达于最高限度。又且他们手中，握有较多的流动资本。所以商人与非商人的交易，商人总是处于有利地位。在他们之中，专以流通资本为业的，是钱庄和票号，亦占有相当势力。当铺则是专与贫民做交易的，这可说是放债者的组织。中国的商业，虽有相当的发达，但受交通及货币、度量衡等制度发达不甚完美的影响，所以国内商业，还饶有发展的余地。商人经营的天才，亦有足称。但欲以之与现代资本雄厚、组织精密的外国商人为敌，自然是不够的。加以他们（一）向来是习于国内商业的，对于国外商业的经营，不甚习熟。（二）资本又不够雄厚。（三）外国机器制品输入，在中国饶有展拓之地，即居间亦有厚利可图。所以海通以来，遂发达而成为买办阶级。

农工商三种人，都是直接生利的，士则否。士人：（一）最得意的，自然是做官去了。（二）次之则游幕，亦是与官相辅而行的。（三）因做官的人生活宽裕，往往可以支持数代又读书，从前算做高尚的职业，所以农工商中，生活宽裕的，以及无一定职业，而生活宽裕的，亦或以读书为业。此等读书人，纯粹成为有闲阶级。（四）大多数无产的，则以教馆为生，握有全国文字教育之权。从前的读书人，知识大体是浅陋的。这因（一）中国人的读书，一部分系受科举制度的奖励。（二）又一部分，则因实际应用的需要，如写信、记账等。志在科举而读书的，自然专以应举为目的。从前人读书，所以入手即读四书，即因考试专重四书文之故。读到相当程度，即教以作应举之文，应举之文，如前述，是可以穷老尽气的。教者既除此之外，一无所知，学者的天资，在中等以下的，自亦限于此而不能自拔。所以一部分生计较裕、愿望较大的人，读了书，往往成为浅陋顽固之士。至于其读书，系为识得几个字，以便应用的，则教之之人，亦更为浅陋。大抵乡间的蒙馆，做老师的人，亦多数是不通科举之学的，他们本亦只能教人识几个字，写写信，记记账。在古代此等识字之书，编成韵语，使人且识字且诵读的。如《急就篇》等是。但在近代，此等书久未编纂，于是改而教人识方字。既已认识方字，此等编成韵语的书本可不读，因为方字便是其代用品。然此等间里书师，_{四字见《汉书·艺文志》}，可见现在村馆蒙师，_{历代都有}。是只知道相沿的事实，而不知其原理的。既识方字之后，乃教之以《三字经》《千字文》《百家姓》《千家诗》等。再进一步，就惟有仍教之以四书了，其结果，于此等人的生活，全不适切，应用的技能，亦所得有限。士人本有领守他阶级的责任，中国士人最能尽此责任的，要算理学昌明时代，因为理学家以天下为己任，而他们所谓治天下，并不是专做政治上的事情，改良社会，在他们看得是很要紧的。他们在乡里之间，往往能提倡兴修水利、举办社仓等公益事业。又或能改良冠婚丧祭之礼，行之于家，以为民模范。做官的，亦多能留意于此等教养之政。他们所提倡的，为非为是，姑置勿论，要之不是与社会绝缘的。入清代以后，理学衰落，全国高才的人，集中其心力的是考据。考据之学，是与社会无关系的。次之，则有少数真通古典主义文学的人，其为数较多的，则有略知文字,会做几篇文章、几首诗,写几个字,画几笔画的人。其和社会无关系,亦与科举之士相等。总而言之,近代的读书人,是不甚留意于政治和社会的事务的。所以海通以来,处从古未有的变局,而这一个阶级反应的力量并不大,若在宋明之世,士子慷慨好言天下事之时,则处士横议,早已风起云涌了。

士子而外,还有一种不事生产的人。此等人,在乡里则称为无赖,称为地痞,称为棍徒,出外则称为江湖上人,即现在上海所谓白相人,亦即古代所谓豪杰、恶少年等。此等人大抵不事生产,其生活却较一般平民为优裕。其进款的来源,则全靠其一种结合,因而成为一种势力。于是(一)或者遇事生风,向人敲诈。(二)则做犯法的事,如贩卖私盐等等。(三)或且为盗为贼。此等人和吏役大抵有勾结,吏役又有些怕他,所以在政治上,很难尽法惩治。在秩序安定之时,不过是一种游食之人,在秩序不安定之时,即可起而为乱,小之则盘踞山泽,大之则就要攻劫州县,成为叛徒了。历代的乱事,其扩大,往往由于多数农民的加入,其初起,往往是由此等人发动的。中国的平民是无组织的,此等人却有组织,所以英雄豪杰,有志举事的,亦往往想利用他们,尤其是在异族入据之世。但此等人的组织,根本是为解决自己的生活问题的。其组织虽亦有相当的精严,乃所谓盗亦有道。盗虽有道,其道究只可以为盗,真要靠他举行革命事业是不够的。

一般的风气，家族主义颇为发达。人类在较早的时代，其团结大概是依据血统的，当这时代，治理之权，和相生相养之道，都由血缘团体来担负，是为氏族时代。后来交通渐广，交易日繁，一团体的自给自足，不如广大的分工合作来得有利，于是氏族破坏，家族代兴。中国的家族，大体以"一夫上父母下妻子"为范围，较诸西洋的小家庭，多出上父母一代，间有超过于此的，如兄弟几房同居等，其为数实不多。此等组织，观念论者多以为其原因在伦理上，说中国人的团结，胜于欧美人。其实不然，其原因仍在经济上。（一）因有些财产，不能分析，如兄弟数人，有一所大屋子，因而不能分居是。（二）而其最重要的原因，则小家庭中，人口太少，在经济上不足自立。譬如一夫一妻，有一个害了病，一个要看护他，其余事情就都没人做了。若在较大的家庭中，则多少可借些旁人的力，须知在平民的家庭中，老年的父母，亦不是坐食的，多少帮着照顾孩子，做些轻易的事情。（三）慕累世同居等美名以为伦理上的美谈，因而不肯分析的，容或有之，怕究居少数，但亦未必能持久。凡人总有一件尽力经营的事情，对于它总是十分爱护的。中国人从前对于国家的关系，本不甚密切，社会虽互相联结，然自分配变为交易，明明互相倚赖之事，必以互相剥削之道行之，于是除财产共同的团体以内的人，大率处于半敌对的地位。个人所恃以为保障的，只有家族，普通人的精力，自然聚集于此了。因此，家族自私之惰，亦特别发达。（一）为要保持血统的纯洁，则排斥螟蛉子，重视妇女的贞操。（二）为要维持家族，使之不绝，则人人以无后为大戚。因而奖励早婚，奖励多丁，致经济上的负担加重，教养都不能达到相当的程度。（三）公益事情，有一部分亦以家族为范围，如族内的义田、义学等是。（四）因此而有害于更大的公益。如官吏的贪污，社会上经手公共事业的人的不清白，均系剥削广大的社会，以利其家族。（五）一部分人，被家族主义所吞噬，失其独立，而人格不能发展。尤其是妇女，如说女子无才便是德。因而不施以教育，反加以抑压锢蔽之类。总而言之，家族制度和交换制度，是现代社会的两根支柱，把这两根支柱拉倒了，而代以他种支柱，社会的情形就大变了。

乡土观念亦是习惯所重的。（一）因交通不便，各地方的风俗，不能齐一，尤其言语不能尽通。（二）而家族主义，亦本来重视乡土的。因为家族的根据，总在一定的地方，而习俗重视坟墓，尤属难于迁移之故。因此离开本乡，辄有凄凉之念，虽在外数十年，立有事业，仍抱着"树高千丈，叶落归根"的思想，总想要归老故乡，而尸棺在千里之外，亦要运归埋葬。此于远适异域，建立功业，从事拓殖，颇有些阻碍。羁旅之人，遇见同乡，亦觉得特别亲近，只看各地会馆的林立，便可知道，此于国族的大团结，亦颇有妨碍。后来旅外的华侨，虽在异国，仍因乡贯分帮，即其一证。

中国人是现实主义的，不甚迷信宗教。其故：因自汉以后，儒教盛行，儒教的宗旨，系将已往的时代，分为三阶段。（一）在部族公产之世，社会内部，绝无矛盾，对外亦无争斗，谓之大同。（二）及封建时代，此等美妙的文化，业经过去了，然大同时代的规制，仍有存留。社会内部的矛盾，还不甚深刻，是为小康。大同、小康之名，见于《礼记·礼运》。（三）其第三个时期，没有提及，我们只得借《春秋》中的名词，称之为乱世了。《春秋》二百四十二年，分为三世：（一）据乱而作，（二）进于升平，（三）再进于太平，明是要把世运逆挽至小康，再挽之大同的。太平大同的意义，后世已无人能解，小康之义，儒书传者较详，后人都奉为治化的极则。其实儒家的高义，并不止此。其说法，还是注重于社会组织的。想把事务件件处置得妥帖，使人养生送死无憾。儒教盛行，大家所希望的，都在现世，都可以人力致之。所以别种宗教，所希望的未来世界，或别一世界，靠他力致之的，在中国不能甚占势力。虽然如此，人对现世的觖望，总是不能无有的，于是有道、佛二教，以弥补其空隙。（一）儒教的善恶报应，是限于现世的，延长之则及于子孙，这往往没有应验，不能使求报的人满足。佛教乃延长其时间而说轮回，另辟一空间而说净土，使人不致失望。（二）高深的哲学，在中国是不能发达的，佛教则极为发达，可以满足一部分人的求知欲。（三）其随时随地，各有一神以临之，或则系属善性，而可以使人祈求；

或则系属恶性，而可以使人畏怖；则自古以来，此等迷信的对象本甚多，即后来亦有因事而发生的，都并入于道教之中。前者如各地方的土地、山川之神；后者如后世货币用弘，则发生财神，天痘传染，则发生痘神等是。中国宗教，发达至此，已完全具足，所以再有新宗教输入，便不易盛行。

以上所说，系就通常情形立论。若在社会秩序特别不安定之时，亦有借宗教以资煽惑的，则其宗教，迷信的色彩，必较浓厚，而其性质，亦不如平时的宗教的平和，历代丧乱时所谓邪教者都是。

以上是中国政治和社会的轮廓。总而言之：

（一）当时中国的政治，是消极性的，在闭关时代，可以苟安，以应付近世列国并立的局面则不足。

（二）当时中国的人民和国家的关系是疏阔的，社会的规则都靠相沿的习惯维持，所以中国人民无其爱国观念，要到真有外族侵入时，才能奋起而与国家一致。

（三）中国社会的风俗习惯，都是中国社会的生活情形所规定的，入近世期以后，生活情形变，风俗习惯亦不得不变。但中国疆域广大，各地方的生活，所受新的影响不一致，所以其变的迟速，亦不能一致，而积习既深，变起来自然也有相当的困难。

（选自《吕思勉文集·中国近代史八种·中国近世史前编》第一、二章）

自述学习历史之经过[*]

一　少时得益于父母师友

《堡垒》的编者，嘱我撰文一篇，略述自己学习历史的经过，以资今日青年的借鉴。我的史学，本无足道；加以现在治史的方法，和从前不同，即使把我学习的经过，都说出来，亦未必于现在的青年有益。所以我将此题分为两橛，先略述我学习的经过，再略谈现在学习的方法。

我和史学发生关系，还远在八岁的时候。我自能读书颇早，这一年，先母程夫人，始取《纲鉴正史约编》，为我讲解，先母无暇时，先姊颂宜（讳永萱），亦曾为我讲解过。约讲至楚汉之际。我说：我自己会看了，于是日读数页。约读至唐初，而从同邑魏少泉先生（景徵）读书。先

---

[*] 本文选自《蒿庐问学记》。收入时有编者按：吕思勉先生一九四一年应上海《中美日报》《堡垒》副刊编者之请，在该刊的《自学讲座》内，接连发表了四篇文章，详细记述早年受教育经过。现将全文载后。《自述学习历史之经过》这个标题是编者加的，四个小题是原有的。

生命我点读《纲鉴易知录》,《约编》就没有再看下去。《易知录》是点读完毕的。十四岁,值戊戌变法之年,此时我已能作应举文字。八股既废,先师族兄少木先生(讳景栅)命我点读《通鉴辑览》,约半年而毕。当中日战时,我已读过徐继畬的《瀛环志略》,并翻阅过魏默深的《海国图志》,该两书中均无德意志之名,所以竟不知德国之所在,由今思之,真觉得可笑了。是年,始得邹沅帆的《五洲列国图》,读日本冈本监辅的《万国史记》,蔡尔康所译的《泰西新史揽要》,及王韬的《普法战纪》。黄公度的《日本国志》,则读而未完,是为我略知世界史之始。明年,出应小试,徼幸入学。先考誉千府君对我说:你以后要多读些书,不该兢兢于文字之末了。我于是又读《通鉴》和毕沅的《续通鉴》,陈克家的《明纪》,此时我读书最勤,读此三书时,一日能尽十四卷,当时茫无所知,不过读过一遍而已。曾以此质诸先辈,先辈说:"初读书时,总是如此,读书是要自己读出门径来的,你读过两三千卷书,自然自己觉得有把握,有门径。初读书时,你须记得《曾文正公家书》里的话:'读书如略地,但求其速,勿求其精。'"我谨受其教,读书不求甚解,亦不求其记得,不过读过就算而已。十七岁,始与表兄管达如(联第)相见,达如为吾邑名宿谢钟英先生之弟子,因此得交先生之子利恒(观),间接得闻先生之绪论。先生以考证著名,尤长于地理,然我间接得先生之益的,却不在其考证,而在其论事之深刻。我后来读史，颇能将当世之事，与历史上之事实互勘，而不为表面的记载所囿，其根基实植于此时。至于后来，则读章太炎、严几道两先生的译著，受其启发亦非浅。当世之所以称严先生者为译述，称章先生为经学，为小学，为文学，以吾观之，均不若其议论能力求覈实之可贵。

苏常一带读书人家，本有一教子弟读书之法，系于其初能读书时，使其阅《四库全书总目提要》一过，使其知天下（当时之所谓天下）共有学问若干种？每种的源流派别如何？重要的书，共有几部？实不啻于读书之前，使其汎滥一部学术史，于治学颇有裨益。此项功夫，我在十六七岁时亦做过，经、史、子三部都读完，惟集部仅读一半。我的学问，所以不至十分固陋，于此亦颇有关系。（此项功夫，现在的学生，亦仍可做，随意浏览，一暑假中可毕。）

十七岁这一年，又始识同邑丁桂徵先生（同绍）。先生之妻，为予母之从姊。先生为经学名家，于小学尤精熟，问以一字，随手检出《说文》和《说文》以后的字书，比我们查字典还要快。是时吾乡有一龙城书院，分课古经，舆地，天算，词章。我有一天，做了一篇经学上的考据文字，拿去请教先生，先生指出我对于经学许多外行之处，因为我略讲经学门径，每劝我读《说文》及《注》《疏》。我听了先生的话，乃把《段注说文》阅读一过，又把《十三经注疏》亦阅读一过，后来治古史略知运用材料之法，植基于此。

二 我学习历史的经过

我少时所得于父母师友的，略如上述。然只在技术方面；至于学问宗旨，则反以受莫不相识的康南海先生的影响为最深，而梁任公先生次之。这大约是性情相近之故罢！我的感情是强烈的，而我的见解，亦尚通达，所以于两先生的议论，最为投契。我的希望，是世界大同，而我亦确信世界大同之可致，这种见解，实植根于髫年读康先生的著作时，至今未变。至于论事，则极服膺梁先生，而康先生的上书记，（康先生上书，共有七次。第一至第四书，合刻一本，第五、第七各刻一本，惟第六书未曾刊行。）我亦受其影响甚深。当时的风气，是没有现在分门别类的科学的，一切政治上社会上的问题，读书的人，都该晓得一个大概，这即是当时的所谓"经济之学"。我的性质，亦是喜欢走这一路的，时时翻阅《经世文编》一类的书，苦于掌故源流不甚明白。十八岁，我的姨丈管凌云先生（讳元善），即达如君之父，和汤蛰仙先生同事，得其书《三通考辑要》，劝我阅读。我读过一两卷，大喜，因又求得《通考》原本，和《辑要》对读，以《辑要》为未足，乃舍《辑要》而读原本。后来又把《通典》和《通考》对读，并读过通志的二十略。此于我的史学，亦极有关系。人家都说我治史喜欢讲考据，其实我是喜欢讲政治和社会各问题的,不过现在各种社会科学,都极精深,我都是外行,不敢乱谈,所以只好讲讲考据罢了。

年二十一岁,同邑屠敬山先生(寄)在读书阅报社讲元史,我亦曾往听,先生为元史专家,考据极精细,我后来颇好谈民族问题,导源于此。

我读正史,始于十五岁时,初取《史记》照旧方评点,用五色笔照录一次,后又向丁桂徵先生借得前后《汉书》评本,照录一过。《三国志》则未得评本,仅自己点读一过,都是当作文章读的,于史学无甚裨益。我此时并读《古文辞类纂》和王先谦的《续古文辞类纂》,对于圈点,相契甚深。我于古文,虽未致力,然亦略知门径,其根基实植于十五岁、十六岁两年读此数书时。所以我觉得要治古典文学的人,对于前人良好的圈点,是极需颇殷的。古文评本颇多,然十之八九,大率俗陋,都是从前做八股文字的眼光,天分平常的人,一入其中,即终身不能自拔。如得良好的圈点,用心研究,自可把此等俗见,祛除净尽,这是枝节,现且不谈。四史读过之后,我又读《晋书》《南史》《北史》《新唐书》《新五代史》,亦如其读正续《通鉴》及《明纪》然,仅过目一次而已。听屠先生讲后,始读辽、金、元史,并得其余诸史补读。第一次读遍,系在二十三岁时,正史是最零碎的,匆匆读过,并不能有所得,后来用到时,又不能不重读。人家说我正史读过遍数很多,其实不然,我于四史,《史记》《汉书》《三国志》,读得最多,都曾读过四遍。《后汉书》《新唐书》《辽史》《金史》《元史》三遍,其余都只两遍而已。

我治史的好讲考据,受《日知录》《廿二史劄记》两部书,和梁任公先生在杂志中发表的论文,影响最深。章太炎先生的文字,于我亦有相当影响;亲炙而受其益的,则为丁桂徵、屠敬山两先生。考据并不甚难,当你相当的看过前人之作,而自己读史又要去推求某一事件的真相时,只要你肯下功夫去搜集材料,材料搜集齐全时,排比起来,自然可得一个结论。但是对于群书的源流和体例,须有常识。又什么事件其中是有问题的,值得考据,需要考据,则是由于你的眼光而决定。涉猎的书多了,自然读一种书时,容易觉得有问题,所以讲学问,根基总要相当的广阔,而考据成绩的好坏,并不在于考据的本身。最要不得的,是现在学校中普通做论文的方法,随意找一个题目,甚而至于是人家所出的题目。自己对于这个题目,本无兴趣,自亦不知其意义,材料究在何处,亦茫然不知,于是乎请教先生,而先生亦或是一知半解的,好的还会举出几部书名来,坏的则不过以类书或近人的著作塞责而已。(以类书为线索,原未始不可,若径据类书撰述,就是笑话了。)不该不备,既无特见,亦无体例,聚集钞撮,不过做一次高等的钞胥工作。做出来的论文,既不成其为一物,而做过一次,于研究方法,亦毫无所得,小之则浪费笔墨,大之则误以为所谓学问,所谓著述,就是如此而已,则其贻害之巨，有不忍言者已。此亦是枝节，搁过不谈。（此等弊病，非但中国如此，即外国亦然。抗战前上海《大公报》载有周太玄先生的通信，曾极言之。）

三　社会科学是史学的根基

我学习历史的经过，大略如此，现在的人，自无从再走这一条路。史学是说明社会之所以然的，即说明现在的社会为什么成为这个样子。对于现在社会的成因，既然明白，据以推测未来，自然可有几分用处了。社会的方面很多，从事于观察的，便是各种社会科学。前人的记载，只是一大堆材料。我们必先知观察之法，然后对于其事，乃觉有意义，所以各种社会科学，实在是史学的根基，而尤其是社会学。因为社会是整个的，所以分为各种社会科学，不过因一人的能力有限，分从各方面观察，并非其事各不相干，所以不可不有一个综合的观察。综合的观察，就是社会学了。我尝觉得中学以下的讲授历史，并无多大用处。历史的可贵，并不在于其记得许多事实，而在其能据此事实，以说明社会进化的真相。根据于事实，以说明社会进化的真相，非中学生所能；若其结论系由教师授与，则与不授历史何异？所以我颇主张中学以下的历史，改授社会学，而以历史为其注脚，到大学以上，再行讲授历史。此意在战前，曾在《江苏教育》上发表过，未能引起人们的注意。然我总觉得略知社会学的匡廓,该在治史之先。至于各种社会科学,虽非整个的,不足以揽其全,亦不可以忽视。为什么呢?大凡一个读书的人,对于现社会,总是觉得不满足的,尤其是社会科学家,他必先对于现状,觉得不满,然后要求改革;要求改革,然后要想法子;要想法子,然后要研究学问。若其对于现状,本不知其为好为坏,因而没有改革的思想;又或明知其不好,而只想在现状之下,求个苟安,或者捞摸些好处,因而没有改革的志愿,那还讲学问做什么?所以对于现状的不满,乃是治学问者尤其是社会科学者真正的动机。此等愿望,诚然是社会进步的根原;然欲遂行改革,非徒有热情,便可济事,必须有适当的手段,而这适当的手段,就是从社会科学里来的。社会的体段太大了,不像一件简单的物事,显豁呈露的摆在我们面前,其中深曲隐蔽之处很多,非经现代的科学家,用科学方法,仔细搜罗,我们根本还不知道有这回事,即使觉得有某项问题,亦不会知其症结之所在。因而我们想出来的对治的方法,总像斯宾塞在《群学肄言》里所说的:看见一个铜盘,正面凹了,就想在反面凸出处打击一下,自以为对症发药,而不知其结果更坏。发行一种货币,没有人肯使用,就想用武力压迫,就是这种见解最浅显的一个例子。其余类此之事还很多,不胜枚举,而亦不必枚举。然则没有科学上的常识,读了历史上一大堆事实的记载,又有何意义呢?不又像我从前读书,只是读过一遍，毫无心得了么？所以治史而又能以社会科学为根柢，至少可以比我少花两三年功夫，而早得一些门径。这是现在治史学的第一要义，不可目为迂腐而忽之。

对于社会科学，既有门径，即可进而读史，第一步，宜就近人所著之书，拣几种略读，除本国史外，世界各国的历史，亦须有一个相当的认识；因为现代的历史，真正是世界史了，任何一国的事实，都不能撇开他国而说明。既然要以彼国之事，来说明此国之事，则对于彼国既往的情形，亦非知道大概不可。况且人类社会的状态，总是大同小异的：其异，乃由于环境之殊，比如夏葛而冬裘，正因其事实之异，而弥见其原理之同。治社会科学者，最怕的是严几道所说的"国拘"，视自己社会的风俗制度为天经地义，以为只得如此，至少以为如此最好。此正是现在治各种学问的人所应当打破的成见，而广知各国的历史，则正是所以打破此等成见的，何况各国的历史，还可以互相比较呢？

四　职业青年的治学环境

专治外国史，现在的中国，似乎还无此环境。如欲精治中国史，则单看近人的著述，还嫌不够，因为近人的著述，还很少能使人完全满意的，况且读史原宜多觅原料，不过学问的观点，随时而异，昔人所欲知的，未必是今人所欲知，今人所欲知的，自亦未必是昔人所欲知。因此昔人著述中所提出的，或于我们为无益，而我所欲知的，昔人或又未尝提及。居于今日而言历史，其严格的意义，自当用现代的眼光，供给人以现代的知识，否则虽卷帙浩繁，亦只可称为史料而已。中国人每喜以史籍丰富自夸，其实以今日之眼光衡之，亦只可称为史料丰富。史料丰富，自然能给专门的史学家以用武之地，若用来当历史读，未免有些不经济，而且觉得不适合。但是现在还只有此等书，那也叫没法，我们初读的时候，就不得不多费些功夫。于此，昔人所谓门径是自己读出来的；读书之初，不求精详，只求捷速；读书如略地，非如攻城……仍有相当的价值。阅读之初，仍宜以编年史为首务，就《通鉴》一类的书中，任择一种，用走马看花之法，匆匆阅读一遍。此但所以求知各时代的大势，不必过求精细。做这一步功夫时，最好于历史地理，能够知道一个大概。这一门学问，现在亦尚无适当的书，可取《方舆纪要》，读其全书的总论和各省各府的总论。读时须取一种历史地图翻看。这一步功夫既做过，宜取《三通考》，读其田赋、钱币、户口、职役、征榷、市籴、土贡、国用、选举、学校、职官、兵、刑十三门。历史的根柢是社会，单知道攻战相杀的事是不够的，即政治制度，亦系表面的设施。政令的起原（即何以有此政令），及其结果（即其行与不行，行之为好为坏），其原因总还在于社会，非了解社会情形，对于一切史事，可说都不能真实了解的。从前的史籍,对于社会情形的纪述,大觉阙乏。虽然我们今日,仍可从各方面去搜剔出来,然而这是专门研究的事。在研究之初,不能不略知大概。这在旧时的史籍中,惟有叙述典章制度时,透露得最多。所以这一步工夫,于治史亦殊切要。此两步工夫都已做过,自己必已有些把握,其余一切史书,可以随意择读了。正史材料,太觉零碎,非已有主见的人,读之实不易得益,所以不必早读。但在既有把握之后读之,则其中可资取材之处正多。正史之所以流传至今,始终被认为正史者,即由其所包者广,他书不能替代之故。但我们之于史事,总只能注意若干门,必不能无所不包。读正史时,若能就我们所愿研究的事情,留意采取,其余则只当走马看花,随读随放过,自不虑其茫无津涯了。

考据的方法,前文业经略说,此中惟古史最难。因为和经子都有关涉,须略知古书门径,此须别为专篇乃能详论,非此处所能具陈。

学问的门径,所能指出的,不过是第一步。过此以往,就各有各的宗旨,各有各的路径了。我是一个专门读书的人,读书的工夫,或替比一般人多些,然因未得门径,绕掉的圈儿,亦属不少。现在讲门径的书多了,又有各种新兴的科学为辅助,较诸从前,自可事半功倍。况且学问在空间,不在纸上,读书是要知道宇宙间的现象,就是书上所说的事情;书上所说的事情,也要把他转化成眼前所见的事情。如此，则书本的记载，和阅历所得，合同而化，才是真正的学问。昔人所谓"世事洞明皆学问，人情练达即文章"，其中确有至理。知此理，则阅历所及，随处可与所治的学问相发明，正不必兢兢于故纸堆申讨生活了。所以职业的青年，治学的环境，未必较专门读书的青年为坏，此义尤今日所不可不知。